Blik op het duister

Wilt u op de hoogte worden gehouden van de literaire thrillers en romans van uitgeverij Signatuur? Meldt u zich dan aan voor de literaire nieuwsbrief via onze website www.uitgeverijsignatuur.nl.

Andrea Maria Schenkel

Blik op het duister

Vertaald door W. Hansen

2007
uitgeverij Signatuur / Utrecht

Oorspronkelijke titel: Tannöd
Vertaling: W. Hansen

Omslagontwerp: Wil Immink Design
Typografie: Pre Press B.V., Zeist
Druk- en bindwerk: Koninklijke Wöhrmann, Zutphen

ISBN 978 90 5672 256 2
NUR 305

Deze uitgave is mede tot stand gekomen dankzij een subsidie van het Goethe-Institut.

Dit boek is gedrukt op papier dat het keurmerk van de Forest Stewardship Council (FSC) mag dragen. Bij dit papier is het zeker dat de productie niet tot bosvernietiging heeft geleid. Een flink deel van de grondstof is afkomstig uit bossen en plantages die worden beheerd volgens de regels van FSC. Van het andere deel van de grondstof is vastgesteld dat hiervoor geen houtkap in de laatste resten waardevol bos heeft plaatsgevonden. Daarom mag dit papier het FSC Mixed Sources label dragen. Voor dit boek is het FSC-gecertificeerde Munkenprint gebruikt. Dit papier is 100% chloor- en zwavelvrij gebleekt en wordt geleverd door Arctic Paper Munkedals AB, Zweden.

De eerste zomer na de oorlog heb ik doorgebracht bij familie op het platteland.

In die weken leek dat dorp me een eiland van rust en vrede. Een van de laatste ongehavende plekken na de grote storm die we zojuist hadden overleefd.

Jaren later, het leven was weer normaal geworden en die zomer was alleen nog maar een gelukkige herinnering, las ik in de krant iets over juist dat dorp.

Mijn dorp was een 'moorddorp' geworden en de daad liet me niet meer met rust.

Ik ben met gemengde gevoelens naar het dorp gereisd.

De mensen die ik er ontmoette, wilden me over de misdaad vertellen. Praten met een vreemde die niettemin vertrouwd was. Iemand die niet bleef, iemand die zou luisteren en weer vertrekken.

Heer, ontferm U over ons.
Christus, ontferm U over ons,
Heer, ontferm U over ons.
Christus, aanhoor ons.
Christus, verhoor ons.
God, hemelse Vader, ontferm U over hen.
God, Zoon, Verlosser van de wereld, ontferm U over hen.
God, Heilige Geest, ontferm U over hen.
Heilige Drievuldigheid, één God, ontferm U over hen.

Heilige Maria, bid voor hen!
Heilige Moeder van God, bid voor hen!
Heilige Maagd der maagden, bid voor hen!

Heilige Michaël,
bid voor hen!
Alle heilige Engelen en Aartsengelen,
Alle heilige Koren van de zalige Geesten,
Heilige Johannes de Doper,
bid voor hen!
Heilige Jozef,
bid voor hen!

Alle heilige Aartsvaders en Profeten,
Heilige Petrus,
Heilige Paulus,
Heilige Johannes,
bid voor hen!

Alle heilige Apostelen en Evangelisten,
Heilige Stefanus,
Heilige Laurentius,
bid voor hen!

Alle heilige Martelaren,
Heilige Gregorius,
Heilige Ambrosius,
bid voor hen!

Heilige Hiëronymus,
Heilige Augustinus,
bid voor hen!

Alle heilige Bisschoppen en Belijders,
Alle heilige Kerkleraren,
Alle heilige Priesters en Levieten,
Alle heilige Monniken en Kluizenaars,
bid voor hen!

Vroeg in de ochtend, nog voor de dag aangebroken is, betreedt hij het vertrek. Met het hout dat hij van buiten heeft gehaald, warmt hij het grote fornuis in de keuken op, vult de stoofpot met aardappelen en water en zet hem op de fornuisplaat.

Vanuit de keuken loopt hij door de lange, vensterloze gang naar de stal. De koeien moeten tweemaal per dag gevoederd en gemolken worden. Ze staan op een rij. De ene naast de andere.

Met gedempte stem spreekt hij ze toe. Hij heeft er een gewoonte van gemaakt met de dieren te praten als hij in de stal aan het werk is. Van de klank van zijn stem schijnt een kalmerende werking op de dieren uit te gaan. Hun onrust lijkt te verdwijnen door de gelijkmatige zingzang van zijn stem, de gelijkvormigheid van zijn woorden. De rustige, eenvormige klank ontspant ze. Hij doet dit werk zijn hele leven al. Hij heeft er plezier in.

Hij strooit nieuw stro op de oude ondergrond. Het stro moet hij uit de aangrenzende schuur halen. Het verspreidt in de stal een aangename, vertrouwde geur. Koeien ruiken anders dan varkens. Hun geur heeft niets opdringerigs, niets scherps.

Daarna gaat hij hooi halen. Dat haalt hij ook uit de schuur.

De deur tussen stal en schuur laat hij openstaan.

Terwijl de dieren vreten, melkt hij ze. Daar is hij een beetje bang voor. De dieren zijn het niet gewend door hem te worden gemolken. Maar zijn vrees dat een of meer dieren zich niet door hem laten melken, bleek ongegrond.

De gare aardappels zijn tot in de stal te ruiken. Het is tijd om de varkens te voederen. Hij giet de aardappels direct vanuit de stoofpot in een emmer en stampt ze fijn, voor hij ze naar de varkens in de varkensstal brengt.

De varkens gillen als hij de deur naar hun hok opent. Hij schudt de inhoud van de emmer in de trog en doet er wat water bij.

Hij is klaar met zijn werk. Voor hij het huis verlaat, gaat hij na of het vuur in het fornuis is gedoofd. De deur tussen schuur en stal laat hij open. De inhoud van de melkbus giet hij op de mest. De bus zet hij weer terug op zijn oude plaats.

's Avonds zou hij opnieuw naar de stal gaan. Hij zou de hond te eten geven, die bij zijn komst altijd jankend in een hoekje wegkruipt. Hij zou de dieren verzorgen. Hij zou er intussen steeds op letten met een boog om de hoop stro te lopen in de verre linkerhoek van de schuur.

Betty, acht jaar

Marianne en ik zitten op school naast elkaar. Ze is mijn beste vriendin. Daarom zitten we ook bij elkaar.

Marianne vindt de gevulde meelballetjes van mijn mama altijd erg lekker. Als mijn mama ze maakt, neem ik er altijd een voor haar mee naar school, en ook als ik 's zondags naar de kerk ga. Afgelopen zondag had ik er ook een voor haar bij me, maar die heb ik zelf moeten opeten, omdat ze niet in de kerk was.

Wat we altijd samen doen? Nou ja, gewoon spelen, rover en reiziger, tikkertje, verstoppertje. In de zomer af en toe bij onze boerderij verkopen. Bij het hek voor de moestuin zetten we dan een stalletje op. Mama geeft me dan altijd een kleedje en daar kunnen we dan op leggen wat we willen verkopen: appels, noten, bloemen, kleurpapier, of gewoon wat we kunnen vinden.

Op een keer hadden we zelfs kauwgum, die had mijn tante meegebracht. Die smaakt lekker naar kaneel. Mijn tante zegt dat kinderen in Amerika die altijd eten. Mijn tante werkt namelijk bij de Amerikanen en soms neemt ze kauwgum en chocolade en pindakaas mee. Of brood in van die rare groene blikken trommeltjes. Vorig jaar zomer ook een keer ijs.

Mijn moeder vindt dat niet echt leuk, omdat de vriend van tante Lisbeth uit Amerika komt en helemaal zwart is.

Marianne zegt altijd dat haar vader ook in Amerika is en dat hij haar vast binnenkort komt ophalen. Maar dat geloof ik niet. Af en toe jokt Marianne een beetje. Mama zegt dat dat niet mag, en als Marianne weer een van haar jokverhalen vertelt, krijgen we ruzie. Meestal neemt ieder van ons dan zijn spullen uit het stalletje en kunnen we niet verder spelen, en Marianne rent dan naar huis. Na een paar dagen is het weer over.

Met Kerstmis heb ik van het kindeke Jezus een pop gekregen, en Marianna was heel jaloers. Zij heeft een oude pop van hout, die is nog van haar moeder geweest. Toen kwam Marianne weer met haar verhaal aanzetten. Haar papa komt binnenkort om haar mee te nemen naar Amerika. Ik heb tegen haar gezegd dat ik niet meer haar vriendinnetje ben als ze telkens zo liegt. Daarna heeft ze er niets meer over gezegd.

In de winter gingen we soms sleeën op het weiland achter onze boerderij. Dat is een heel mooie berg om van af te sleeën, iedereen uit het dorp gaat ernaartoe. Als je niet op tijd remt, kom je beneden in de heg terecht. Dan krijg je thuis meestal ruzie. Marianne moest af en toe haar broertje meenemen om op hem te passen. Die hangt dan steeds aan haar rok. Ik heb geen broertje, alleen een grote zus, maar dat is ook niet altijd leuk. Ik erger me aan haar.

Als het broertje in de sneeuw viel, begon hij te huilen en pieste meestal ook nog in zijn broek, en Marianne moest naar huis, anders kreeg ze er flink van langs. Omdat ze niet goed op hem gepast had en omdat hij het weer in zijn broek had gedaan enzovoort. De volgende dag op school was ze heel verdrietig en vertelde ze me dat ze weg wilde, want haar opa is zo streng en haar moeder ook.

Een paar dagen geleden heeft ze me verteld dat de tovenaar er weer is. Ze heeft hem in het bos gezien en hij brengt haar vast naar haar papa. Ja, de tovenaar, zei ze. Dat heeft ze me ook al eens in de herfst verteld, meteen na het begin van de school, en ik geloofde haar niet, er is geen tovenaar, en tovenaars die een papa voor de dag toveren die in Amerika moet wonen, die bestaan al helemaal niet. Ik heb weer ruzie met haar gekregen en ze heeft gehuild en gezegd dat de tovenaar wel bestaat en dat hij enkel fleurige flesjes in zijn rugzak heeft en andere dingen met kleurtjes, en soms zit hij alleen maar wat voor zich uit te neuriën. Dat moest wel een tovenaar zijn, net als in ons leesboek. Toen riep ik: 'Liegbeest, liegbeest,' en toen is ze huilend weggelopen. En omdat ze op zaterdag niet op school was en ze de meelballetjes van mijn moeder zo lekker vindt, heb ik er op zondag een voor haar meegenomen naar de kerk. Maar daar was ze ook niet. Omdat er niemand thuis was, zei mama dat ze misschien bij familie op bezoek waren. Bij de broer van haar opa in Einhausen. Toen heb ik het meelballetje zelf maar opgegeten.

Marianne ligt wakker in haar bed. Ze kan niet slapen. Ze hoort de wind huilen. Als de 'wilde jacht' raast hij over de boerderij. Oma heeft haar al vaak verhalen over de wilde jacht en over 'Trud' verteld, altijd in de lange, gure, duistere nachten tussen Kerstmis en Nieuwjaar.

'De wilde jacht suist door de wind voortgedreven door de lucht, snel als de wolken bij storm, sneller nog. Ze zitten op paarden zo zwart als de duivel,' heeft oma verteld. 'Gehuld in zwarte jassen. Gezichten diep verscholen in capuchons. Met gloeiend rode ogen jaagt ze voort. Als iemand zo onvoorzichtig is in zo'n nacht buiten rond te dwalen, wordt hij gepakt door de wilde jacht. In galop. Zomaar, hup, foetsie!'

Ze maakte met haar hand een beweging alsof ze zelf iets pakte en weggriste.

'Hup, foetsie! En ze heffen die arme drommel hoog in de lucht en sleuren hem met zich mee. Weg, hoog de wolken in, ze sleuren hem mee de hemel in. Hij moet met de storm mee. Die laat hem niet meer los en joelt en lacht spottend. Ho, ho, ho,' lachte oma met diepe stem.

Marianne kon het zich goed voorstellen hoe de wilde jacht iemand pakt en hem lachend mee omhoogsleurt.

'Wat gebeurt er daarna, oma?' vroeg Marianne. 'Komt hij nooit meer naar beneden?'

'Jawel, jawel,' antwoordde oma. 'Soms komt hij weer naar beneden, soms ook niet! De wilde jacht sleurt de arme stakker met zich mee zolang ze er plezier aan beleeft. Soms zet ze hem zachtjes terug op de grond als ze genoeg streken met hem heeft uitgehaald. Soms. Maar meestal wordt de arme stakker de volgende ochtend gevonden met gebroken ledematen. Het hele lichaam gehavend, geradbraakt. Sommigen zijn nooit meer teruggezien. De wilde jacht heeft hen meteen maar bij de duivel afgeleverd.'

Ze moet nu de hele tijd denken aan de wilde jacht. Nooit zou ze bij dit weer het huis verlaten. De wilde jacht mag haar niet te pakken krijgen. Haar niet!

Ze ligt lang wakker. Ze weet niet hoe lang. Haar broertje ligt in hetzelfde vertrek. De bedden zijn zo opgesteld dat ze bijna hoofd aan hoofd liggen. Zij in haar bed en hij in zijn kinderbedje.

Zij hoort hem rustig en regelmatig ademhalen. Zo dicht liggen ze bij elkaar. Hij ademt in en uit. Als ze niet kan slapen luistert ze 's nachts weleens naar dat geluid, probeert zich aan zijn ademhaling aan te passen, ademt in als hij inademt en uit als hij uitademt.

Soms helpt dat en zij wordt dan moe en slaapt in. Maar vandaag lukt dat haar niet. Ze ligt wakker.

Moet ze haar bed uit? Haar opa zal dan weer vreselijk tekeergaan. Hij houdt er niet van dat zij 's nachts opstaat en om moeder of oma roept.

'Je bent oud genoeg. Je kunt alleen slapen,' zegt hij dan, en hij stuurt haar weer naar bed.

Onder de deur is een straaltje licht te zien. Zwak, maar ze ziet het lichtschijnsel als een smalle strook.

Er is dus nog iemand op. Moeder misschien? Of oma?

Marianne schraapt al haar moed bijeen en steekt haar blote voeten buiten het bed. Het is koud in de kamer. Ze schuift de deken van zich af. Heel zachtjes, zodat haar broertje niet wakker wordt, sluipt ze op haar tenen naar de deur. Voorzichtig, anders kraakt de planken vloer.

Langzaam en omzichtig duwt ze de klink van de deur omlaag en opent zachtjes de deur. Ze sluipt door de gang naar de keuken.

In de keuken brandt nog licht. Ze gaat bij het raam zitten

en kijkt de nacht in. Ze vindt het griezelig en begint in haar dunne nachthemd te rillen.

Dan ziet ze dat de deur naar het bijvertrek nog openstaat.

Moeder zal nog wel even naar de stal zijn gegaan, denkt Marianne. Ze duwt de deur van het bijvertrek helemaal open. Van daaruit kom je door weer een andere deur in de gang die naar de stal en de schuur leidt.

Ze roept haar moeder. Haar oma. Maar antwoord krijgt ze niet.

Het meisje loopt door de lange duistere voedergang. Ze aarzelt en blijft staan. Roept opnieuw haar moeder, haar oma. Nu iets luider. Weer geen antwoord.

In de stal staat het vee aan kettingen die zijn verbonden met ijzeren ringen aan de voederbak. De koeienlijven bewegen rustig. Er brandt alleen een petroleumlamp.

Aan het eind van de voedergang ziet Marianne de deur naar de schuur openstaan.

Haar moeder is waarschijnlijk in de schuur. Ze roept opnieuw haar moeder, weer geen antwoord.

Ze loopt verder de gang in naar de schuur. Bij de deur blijft ze opnieuw aarzelend staan. Ze hoort niets vanuit het duister. Ze ademt diep in en gaat naar binnen.

Heilige Maria Magdalena,
bid voor hen!
Heilige Catharina,
bid voor hen!
Heilige Barbara,
bid voor hen!

Alle heilige maagden en weduwen,
bid voor hen!
Alle Heiligen van God,
bid voor hen!

Wees hun genadig – spaar hen, o Heer!
Wees hun genadig – verlos hen, o Heer!

Babette Kirchmeier, weduwe van ambtenaar Kirchmeier, zesentachtig jaar

Marie, Marie.

Die was huishoudster bij mij. Nou ja, tot ik naar het bejaardenhuis ging.

Ja ja, huishoudster, Marie. Was heel flink. Heel flink. Heeft alles altijd tot in de puntjes verzorgd. Niet als die jonge meiden, altijd maar de hort op en met de jongens scharrelen. Nee, Marie was niet zo. Een flinke meid.

Niet erg knap, maar flink en vlijtig. Ze heeft mijn hele huishouden piekfijn gedaan.

Weet u, ik ben niet meer zo goed ter been, daarom zit ik nu ook in dit bejaardenhuis.

Ik heb geen kinderen en mijn man is ook al bijna vijftien jaar dood. Op 24 juni is het vijftien jaar geleden.

Ottmar was een deugdzame man. Een deugdzame man.

Marie is me komen helpen, omdat mijn benen niet meer wilden. Mijn benen, die willen al heel lang niet meer. Als je oud wordt willen veel dingen niet meer, niet alleen de benen. Oud worden is niet leuk, dat heeft mijn moeder altijd al gezegd, echt waar. Het is niet leuk.

Vroeger liep ik als een kievit. Met mijn Ottmar, God hebbe zijn ziel, ging ik altijd dansen. Op zondagmiddag naar het thé dansant in het Odeon. Dat was nog voor de oorlog. Ottmar kon goed dansen. We hebben elkaar ook bij het dansen leren kennen, indertijd, toen de keizer er nog was. Een kranige vent, mijn Ottmar in zijn uniform. Ottmar zat toen in het leger, nu is hij ook alweer bijna vijftien jaar dood.

De tijd gaat voorbij, de tijd gaat voorbij. Ik heb problemen met mijn heup gekregen. Je wordt er niet jonger op.

Toen is Marie bij mij in huis gekomen. Ze sliep in het opkamertje. Ze was niet veeleisend, Marie. Een bed, een stoel, een tafel en een klerenkast. Meer had ze niet nodig.

Ik ben in januari, even denken, hoor ... ja dat is in januari geweest, naar het bejaardenhuis gegaan, want ik kan nu heel moeilijk lopen. Heel moeilijk. En toen is Marie naar haar zuster vertrokken.

Ik wist helemaal niet dat ze nu een baan als dienstmeid heeft. Maar dat past wel bij haar. Ze kon stevig aanpakken. Ze zei nooit veel. Ik vond het best, want ik heb het niet op die kletsmeiden. Die roddelen er de hele dag op los en intussen verloedert huis en hoeve.

Ja ja, Marie is bij mij huishoudster geweest. Tot ik naar het bejaardenhuis ging. In januari ben ik naar het bejaardenhuis gegaan. Een goede, flinke huishoudster, Marie. Een heel flinke. Heel flink. Heeft altijd alles mooi aan kant gemaakt.

Ik merk dat ik nu moe word. Ik wil slapen. Weet u, als je ouder wordt heb je veel slaap nodig. Veel mensen kunnen niet slapen, maar ik heb veel slaap nodig. Ik heb altijd al graag en veel geslapen.

Zeg, wat had u me nu ook alweer gevraagd, ik ben het helemaal kwijt, dat heeft met de ouderdom te maken, dat weet u ook wel. U hebt naar Marie gevraagd. Tja, Marie. Die was heel flink en vlijtig, ze wist van aanpakken.

Wat doet ze tegenwoordig eigenlijk?

Is ze niet bij haar zuster?

Ach, wat ben ik moe, ik wil nu slapen. Weet u, als je ouder bent, heb je de slaap nodig.

De winter wil dit jaar maar niet voor de lente wijken. Het is veel te koud voor deze tijd van het jaar. Sinds begin maart heeft het geregend of gesneeuwd. De grijze ochtendmist wil ook in de loop van de dag maar niet optrekken.

Op deze vrijdagochtend klaart het eindelijk een beetje op. De donkergrijze, bijna zwarte wolken trekken wat weg. Af en toe breekt het wolkendek zelfs helemaal open. De eerste stralen van de lentezon banen zich schuchter een weg.

Maar 's middags trekt de lucht opnieuw dicht en begint het weer te regenen.

Het wordt zo schemerig dat je de indruk krijgt dat de dag ten einde loopt en de avond valt.

Twee personen, geheel in het zwart gekleed, zoeken zich in dat sombere licht een weg. Ze lopen regelrecht naar de enige hoeve die er te zien is. Een van de twee heeft een fiets aan de hand, de andere draagt een rugzak. De boer, die juist zijn huis verlaten heeft om de stal in te gaan, maakt voorzichtigheidshalve de hond los. Pas als ze de hoeve bijna hebben bereikt, kan hij in de gestalten twee vrouwen onderscheiden.

Hij fluit de hond terug. Houdt hem aan de halsband vast.

Een van de twee vrouwen, die met de rugzak, vraagt de weg. Ze moeten naar de hoeve van de familie Danner in Tannöd. Zijn in het schemerdonker verdwaald geraakt. Of hij hen kan helpen en de weg weet?

'Ginds, achter de laatste akker, naar links het bos in. Het kan niet missen,' is zijn antwoord.

De twee lopen door. De man legt zijn hond weer aan de ketting zonder verder naar de twee vrouwen om te kijken.

Traudl Krieger, zuster van dienstmeid Marie, zesendertig jaar

Vrijdagochtend heb ik samen met Marie al haar spullen gepakt. Veel had ze niet, een volle rugzak en nog een tas, meer niet. Dat is echt niet veel.

Ik had haar beloofd met haar mee te gaan naar haar nieuwe baan. Ze wilde er niet alleen naartoe, omdat ze de weg niet kende. Ik had het haar met mijn hand op het hart beloofd.

Met mijn hand op het hart ...

'S Ochtends was het weer nog goed, maar voor we eindelijk vertrokken, was het al middag. Toen was het al niet meer zo mooi. Mijn schoonmoeder is op mijn kinderen komen passen.

Mijn man Erwin was nog op zijn werk. Hij is al heel vroeg naar het bouwterrein vertrokken, hij is metselaar. Vrijdags komt hij altijd laat thuis. Niet dat hij zo lang moet werken. Nee, op vrijdag krijgt hij zijn loon en dan gaat hij na het werk naar het café.

Meestal komt hij laat thuis, dronken. Zo zijn mannen nu eenmaal, ze vergeten alles in het café, vrouw en kinderen, gewoon alles.

Toen we op weg gingen, Marie en ik, regende het nog niet. Het weer ging nog wel. Er hingen wel een paar donkere wolken in de lucht, maar over het geheel genomen was het weer niet zo slecht. De laatste weken heeft het alleen maar geregend en gesneeuwd.

Ik droeg de rugzak, en Marie had haar tas op de bagagedrager van de fiets gebonden. Af en toe heb ik haar helpen duwen.

De fiets had ik geleend, net als de rugzak, van mijn buurvrouw, vrouw Müller. Erwin heeft namelijk onze fiets mee naar zijn werk en ik wilde niet de hele terugweg lopen. Ik dacht: met de fiets ben ik sneller thuis.

De verhuurster, de kruideniersvrouw, heeft me de weg naar Danner goed uitgelegd. Die had me ook verteld over de baan die daar vrijgekomen was.

'Jouw zuster, Marie, dat is toch een sterke vrouw. Die weet van aanpakken, en werkschuw is ze bepaald niet. Bij de Danners is de dienstmeid ervandoor gegaan. Ze zoeken een nieuwe meid. Dat is net iets voor Marie, jouw zuster.' Zei ze tegen mij.

De kruidenierster weet altijd alles. Iedereen uit de omgeving vertelt haar wie een nieuwe dienstmeid of een knecht nodig heeft, en ze vertellen ook allerlei andere nieuwtjes, of er iemand overleden is en wie er een kind heeft gekregen. Zelfs als er een huwelijkskandidaat wordt gezocht, hoeven ze maar naar haar te gaan. Die kan de juiste personen koppelen. Haar man is dan op de bruiloft ceremoniemeester, hij is een handige prater.

Marie heeft sinds januari bij ons gewoond, in ons kleine huis. Ze is niet veeleisend, dat kun je bij ons ook niet zijn.

De woning heeft twee kamers, een voor de kinderen en een voor ons. Er is ook een keuken en een wc. Geen wc per verdieping, waar je in de rij moet staan wachten tot de anderen klaar zijn.

Voor Erwin, onze drie kinderen en mij is de woning groot genoeg, maar met Marie erbij was het wel erg dringen.

Marie sliep in de woonkeuken op de canapé. Dat was geen definitieve oplossing, echt niet, alleen bij wijze van overgang. Daarom was ik ook zo blij over haar nieuwe werk.

Tussendoor is Marie voor drie weken bij mijn broer geweest. Dat was in februari. Mijn broer heeft een kleine boerderij. Die heeft hij van onze ouders geërfd. De vrouw van mijn broer was ziek en toen is Marie bijgesprongen. Marie was een beste vrouw, moet u weten. Echt een beste vrouw, die wist van aanpakken en ze werkte graag, maar ze was ook erg onnozel.

Ik bedoel dat ze wat achterlijk was. Niet verstandelijk gehandicapt of zo, nee, eerder wat naïef en goedmoedig.

Toen het weer wat beter ging met mijn schoonzus, is Marie bij ons teruggekomen. Met mijn broer heeft Marie nooit goed kunnen opschieten. Hij kankerde altijd op haar, ze kon niets goeds bij hem doen. Hij is zijn hele leven al een chagrijn, dat wordt nooit meer anders.

Ik ben jonger dan Marie, acht jaar, maar voor mij is Marie altijd de kleine zus geweest op wie ik moest passen. Na de dood van onze moeder was ik voor Marie plaatsvervangend moeder. Onze vader is ook al lang dood, hij is kort na moeder gestorven. De tering, zei de dokter.

Als iemand het wilde, kon hij Marie helemaal uitbuiten. Ze deed altijd alles wat haar werd opgedragen, ze stelde nooit vragen. Onze moeder zei altijd: 'Goedheid is voor een deel ook onachtzaamheid.'

Onachtzaam was ze niet, Marie, maar ze was wel veel te goed. Ze zou ook zonder loon gewerkt hebben, gewoon tegen kost en inwoning. Zo was ze nu eenmaal. Arme drommel.

Tot Nieuwjaar heeft Marie nog een baan gehad bij vrouw Kirchmeier, Babette Kirchmeier. Vrouw Kirchmeier was weduwe en Marie deed bij haar het huishouden zo goed ze kon. Maar met vrouw Kirchmeier ging het de laatste tijd steeds meer bergafwaarts. Ze kon op het eind bijna niet meer lopen en het was ook in haar bovenkamer niet meer helemaal pluis. Toen is ze naar het bejaardenhuis gegaan, kinderen had ze niet, dus die konden haar ook niet in hun huis opnemen, vrouw Kirchmeier. En zo is Marie haar baan kwijtgeraakt.

Zoals ik al zei, had ik Marie beloofd haar naar Danner te brengen.

Volgens de beschrijving van de kruidenierster zouden we anderhalf uur onderweg zijn, maar het weer werd steeds slechter.

Het werd echt donker en er stak een harde wind op. Het was een sfeer zoals ik me bij de ondergang van de wereld voorstel, duister en somber. Ik denk steeds weer dat we met dat weer eigenlijk niet hadden moeten vertrekken. Dan zou nu alles anders zijn geweest, alles.

Tegen tweeën zijn we van huis weggegaan, en rond halfvier waren we totaal de weg kwijt. We hebben nog een tijdlang rondgezworven. Toen zijn we weer een stuk teruggelopen, naar de laatste boerderij waar we langsgekomen waren.

Daar hebben we naar de weg gevraagd.

Bij de laatste akker naar links, steeds de weg blijven volgen door het bos, het kon niet missen, was het antwoord.

In het bos begon het ook nog te regenen. Doornat zijn we ten slotte aangekomen bij de afgelegen boerderij. Ik had nooit gedacht dat die zo eenzaam lag. Anders had ik Marie daar niet heen laten gaan. Ik had haar er dan nooit heen laten gaan. Nooit. Daar in Tannöd was alleen de oude vrouw thuis, die heeft ons binnengelaten. Verder heb ik er niemand gezien. Alleen de oude vrouw en het kleine kind.

Een leuk jongetje, twee jaar oud schat ik, met mooie goudblonde lokken.

Marie vond het kind meteen aardig, dat heb ik gezien, Marie houdt van kinderen. Alleen die oude vrouw deed nogal vreemd, ze keek ons zo wantrouwend aan. Ze groette ons amper. We hebben de natte jassen over de stoel gehangen. Vlak bij de kachel, om te drogen. De oude vrouw Danner heeft de hele tijd geen woord gezegd. Ik heb nog geprobeerd een gesprek met haar te beginnen. Je hebt toch wel wat vragen als een vreemdeling op je boerderij komt. Maar niets, met haar was geen land te bezeilen, alleen de kleine jongen, die hing na vijf minuten al aan Maries rok en hij lachte.

En Marie ook.

De keuken was net als de hele boerderij, duister en oud, het was er ook wat rommelig. De oude vrouw had een schort aan die wel weer eens in de was had gemogen. En de kleine jongen, die had een vuil gezicht.

In het uur dat ik met mijn zuster Marie op de bank bij de kachel heb gezeten, heeft vrouw Danner misschien vijf zinnen gesproken. Korzelige, rare mensen, heb ik nog gedacht.

Na een uur heb ik mijn jas gepakt, want ik wilde niet in het donker naar huis. De jas was al bijna droog en ik wilde weg.

'Ik moet naar huis, het wordt al donker. Anders verdwaal ik weer,' heb ik nog tegen Marie gezegd.

In de deur heb ik toen nog de dochter van vrouw Danner ontmoet.

Echt in de deur, op de drempel.

We hebben nog een paar woorden gewisseld, ze was een beetje vriendelijker dan de oude vrouw, en toen ben ik meteen weggegaan. Marie heeft me een eindje begeleid. Ik ben met de fiets door het tuinpoortje gegaan en heb bij het hek afscheid van haar genomen. Ze zag er niet vrolijk uit, ik geloof dat ze het liefst weer met me mee naar huis was gegaan. Dat zou ik wel hebben kunnen begrijpen, maar wat kon ik doen, het ging niet anders.

Ik werd vanbinnen bijna verscheurd. Ik wilde alleen maar snel weg. Tegen Marie heb ik nog gezegd: 'Hopelijk bevalt het je hier. Als dat niet zo is, vinden we wel weer wat anders voor je.'

Marie zei alleen maar: 'Het zal wel loslopen.'

Ik had haar gewoon weer mee moeten nemen. We hadden wel wat anders gevonden. Daar ben ik zeker van.

Maar ik heb me omgedraaid en ben op de fiets gestapt. Toen Marie me nog eenmaal riep, ben ik gestopt en van de fiets gestapt.

Marie kwam me nalopen en heeft me aan haar borst gedrukt. Heel stevig. Alsof ze me nooit meer wilde losla-ten. Ik heb me echt moeten losrukken, en ik ben snel op de fiets gestapt.

Ik heb als een gek gefietst. Ik wilde niet meer stoppen.

Dat huis, die boerderij, ik zou er niet eens begraven willen liggen, heb ik nog gedacht. Ik kreeg er de koude rillingen van.

Hoe kan iemand het bij die mensen daar in de woestenij uithouden. Arme Marie, hoe houdt zij het bij die mensen uit? Ik was helemaal van mijn stuk, ik kreeg niet goed adem, maar wat kon ik doen? Marie kon niet meer bij ons op de canapé blijven en Erwin zat het ook dwars, die wilde haar al lang kwijt.

Ik heb gejakkerd. Ik ben nergens gestopt. Ik wilde alleen maar weg, weg, weg!

Ik wilde ook mijn slechte geweten kwijt.

Op een goed moment liep het water over mijn wangen. Eerst dacht ik nog dat het kwam vanwege het zweet, van het fietsen. Maar toen merkte ik het pas. Het waren tranen.

Marie gaat die avond meteen na de broodmaaltijd naar haar kamer, naast de keuken.

Het is een kleine kamer. Een bed, een tafel, een commode en een stoel, meer plaats is er ook niet.

Op de commode een waskom en een kruik.

Tegenover de deur een klein raam. Wat ziet ze als ze uit het raam kijkt? Misschien het bos? Morgen zal ze het weten. Marie zou door haar raam graag het bos zien.

Op de vensterbank ligt stof. Net als op de tafel en de commode. Er heeft al lang niemand meer in deze kamer gewoond. De lucht in het vertrek is onfris, muf. Marie stoort zich er niet aan.

Ze opent de la van de tafel. Er ligt een oud krantenknipsel in, helemaal vergeeld, een knoop, en de klemmen van een inmaakfles. Marie duwt de la weer dicht.

Rechts van haar staat het bed. Een eenvoudig, bruin, houten bed. Het dekbed heeft een wit-blauwe overtrek, het kussen ook.

Marie gaat zuchtend op het bed zitten. Ze zit er een poosje haar omgeving op te nemen.

Laat haar gedachten de vrije loop.

Ze mist Traudl en de kinderen. Maar het is beter in een bed te slapen dan op een canapé, en Erwin hoeft ze nu ook een tijdje niet te zien.

Erwin mocht haar niet, dat had ze meteen aangevoeld toen ze met Nieuwjaar bij Traudl kwam wonen. Toen hij binnenkwam, geen groet, geen handdruk, niets. Tegen Traudl zei hij alleen: 'Wat moet die daar dan?' Daarbij knikte hij met zijn hoofd in haar richting zonder Marie zelfs maar aan te kijken.

'Die woont bij ons tot ze een nieuwe baan heeft,' antwoordde Traudl enkel.

'Ik hou niet van mensen die op mijn zak leven,' zei hij alleen maar.

Zij, Marie, deed net alsof ze het niet had gehoord. Maar ze voelde pijn in haar hart omdat Erwin zo'n boerenkinkel is. Ze heeft dat nooit tegen haar zuster gezegd, maar gedacht heeft ze het wel.

Hij hield haar voor 'dom', 'onnozel', 'achterlijk', 'niet helemaal goed bij d'r hoofd', dat en nog veel meer heeft ze hem horen zeggen, en ze heeft altijd gezwegen. Vanwege Traudl en de kinderen. Ze kon ook nergens anders heen. Ze had alleen maar Traudl en de kinderen.

Godzijdank zijn er hier op de boerderij ook kinderen, denkt Marie.

Met kinderen kan ze goed omgaan. 'Kinderen zijn het zout der aarde', heeft ze ooit op een kalender gelezen. Die spreuk heeft ze onthouden. Ze houdt van dat soort kalenderspreuken en als er een is die haar erg aanspreekt, slaat ze de pagina van de kalender op en leest de spreuk telkens weer.

Marie zucht, staat van het bed op en begint haar spullen in de commode op te bergen. Zich in haar kamertje in te richten. Steeds weer stopt ze even. Gaat op het bed zitten. Haar armen vallen krachteloos in haar schoot, loodzwaar. Steeds weer gaat ze in haar gedachten terug. Denkt aan vrouw Kirchmeier, voor wie ze met liefde heeft gewerkt. Ook toen ze steeds raarder ging doen.

Denkt aan haar broer, Ott. Die was uit hetzelfde hout gesneden als Erwin. Dat zag je zo. Ze heeft hem een paar weken bijgesprongen, toen zijn vrouw zo naar en zo ziek was. Ze was blij geweest er weer weg te kunnen.

Ze vermant zich. Het heeft geen zin eeuwig over het leven te zitten prakkiseren, zegt Marie bij zichzelf. Ze moet zich inrichten en gaan slapen, zodat ze morgenochtend vroeg uit de veren kan. Ze heeft al genoeg tijd verdaan.

Nauwgezet bergt ze haar spullen op. Opnieuw verzinkt ze in gedachten, ze dwaalt af, denkt aan het eerste gemeenschappelijke eten met haar nieuwe werkgever.

De boer, een grote, krachtige man, weinig spraakzaam. Tijdens het avondeten heeft hij niet veel gesproken. Hij heeft haar kort gegroet toen hij het vertrek binnen kwam. Een stevige handdruk, een keurende blik, dat was alles.

Zijn vrouw, ook zij heel stil. Ouder dan haar man. Afgetobd, gesloten. Zij bad hardop aan tafel.

De dochter, zij was aardig tegen Marie. Vroeg of ze behalve Traudl nog andere broers of zusters had, nichten of neven. Vroeg naar hun namen en hun leeftijd.

Met haar kun je het best opschieten, denkt Marie.

En de kinderen…

De kinderen hier in huis zijn aardig. Aardige kinderen, vooral het jongetje. Die heeft meteen tegen haar gelachen. Die wilde steeds met haar spelen. Ze maakte grapjes met hem. Heeft hem op haar schoot genomen en op haar knie laten rijden, zoals ze het ook steeds met de kinderen van haar zuster heeft gedaan. 'Hop paardje hop' heeft ze met hem gespeeld, ze heeft hem van haar schoot laten ploffen. Het jongetje moest hikken van het lachen.

Toen de jonge boerin de kinderen naar bed stuurde, is Marie ook opgestaan. Zei: 'Ik ga ook meteen naar mijn kamer, ik moet mijn spullen nog opbergen. Dan kan ik morgenochtend vroeg meteen beginnen.'

Ze heeft iedereen nog goedenacht gewenst en is naar haar kamer gegaan.

Maar ze wil op deze boerderij enkel blijven tot ze iets beters gevonden heeft, dat weet ze nu al. Hoewel de kinderen lief zijn en de jonge boerin iemand is met wie ze zou kunnen opschieten. De boerderij ligt veel te afgelegen, ze wil dichter bij Traudl zijn.

Marie is bijna klaar met het opbergen van haar spullen. Alleen nog de rugzak uitpakken.

Buiten is het weer nog slechter geworden. Het gaat steeds harder waaien. Het stormt.

Hopelijk is Traudl goed thuisgekomen, denkt ze.

Het raam sluit niet helemaal af, de wind fluit door de kieren. Marie voelt hoe het tocht. Ze draait zich om naar de deur. De deur staat aan. Marie wil hem sluiten. Dan merkt ze dat de deur steeds verder opengaat, langzaam en knarsend. Ongelovig kijkt ze naar de breder wordende kier.

Marie twijfelt, ze weet niet wat ze moet doen. Verstijfd en verstard blijft ze gewoon maar staan. Haar blik op de deur gericht. Tot ze zonder een woord, zonder één woord, door de kracht van de klap neervalt.

Van alle kwaad,
verlos hen, Heer!
Van Uw gramschap,
verlos hen, Heer!
Van de strengheid Uwer gerechtigheid,
verlos hen, Heer!
Van een knagend geweten,
verlos hen, Heer!
Van hun lange en diepe droefenis,
verlos hen, Heer!
Van de kwelling van het louterende vuur,
verlos hen, Heer!
Van de gruwelijke duisternis,
verlos hen, Heer!
Van het ijzingwekkend gejammer en geweeklaag,
verlos hen, Heer!
Door het geheim van Uw heilige menswording,
verlos hen, Heer!
Door Uw geboorte,
verlos hen, Heer!
Door Uw zoete naam,
verlos hen, Heer!
Door Uw doop en Uw heilig vasten,
verlos hen, Heer!
Door Uw grenzeloze deemoed,
verlos hen, Heer!

's Ochtends staat hij meestal voor dag en dauw op.

Schiet zijn broek aan en loopt door de gang naar de keuken.

Daar wakkert hij het vuur in het keukenfornuis aan met een paar blokken hout. Vult het emaillen pannetje met water en zet het op het fornuis.

Hij wast snel zijn gezicht met wat koud water uit de keukenkraan.

Wacht nog even tot het water in de pan aan de kook raakt.

Het pak met cichoreikoffie staat op de plank boven het fornuis. Hij schuift de pan met het kokende water opzij en doet er twee volle lepels koffiepoeder in. Hij draait zich om en haalt een kop uit de keukenkast tegen de muur en de theezeef uit de la. Hij schenkt de moutkoffie door het zeefje in de kop. Verkruimelt een sneetje brood in de mok. Met de kop koffie gaat hij aan de tafel in de hoek van het vertrek zitten en lepelt de volgezogen stukjes brood uit de koffie. Met de deur in zijn rug zit hij voor het raam en kijkt de duisternis in.

's Zomers zit hij graag op de bank achter zijn huis en drinkt dan daar zijn kop moutkoffie. Hij luistert naar het eerste zingen van de vogels, de lucht is nog koel en zuiver. De ene vogel na de andere begint aan zijn lied. Steeds in dezelfde, nooit veranderende volgorde. Vanaf de plek waar hij zit, kan hij hun gezang beluisteren, terwijl de zon opklimt aan de horizon.

Hij drinkt zijn kop leeg en zet hem in de keuken. De boerderij is intussen ontwaakt en hij vat zijn dagtaak aan. Op dit vroege tijdstip meestal zonder iets te zeggen. Alleen met zichzelf en zijn gedachten. Als de dag zich duidelijk van de nacht onderscheidt, zijn de kostbare ogenblikken van zijn ledigheid allang voorbij.

Zo was het in de zomer.

In de winter zit hij, net als nu, in de keuken bij het raam, kijkt naar buiten en kan nauwelijks wachten tot de dagen eindelijk gaan lengen en hij zich weer kan wijden aan zijn dagelijkse ochtendritueel.

Hermann Müllner, onderwijzer, vijfendertig jaar

Ik zal u niet veel verder kunnen helpen, omdat ik pas aan het begin van dit schooljaar, vroeg in september, naar deze school ben overgeplaatst. Tot nu toe heb ik het zo druk dat ik nog geen tijd heb gehad de mensen hier op het platteland beter te leren kennen.

Ik geef de kinderen van de tweede klas in alle vakken les, behalve in godsdienst. Dat vak wordt door onze pastoor Meißner gegeven.

De kleine Maria-Anna, zoals ze eigenlijk heette, zat bij mij in de klas.

Ze was een rustige leerlinge, heel rustig. Nam slechts aarzelend aan het onderwijs deel. Leek een beetje dromerig. Niet erg goed in spelling. Lezen ging wat hakkelend. Rekenen, ja, rekenen lag meer in haar straatje. Verder is me niets opgevallen.

Voor zover ik weet was Betty haar vriendin. Die zat ook naast haar. De meisjes zaten tijdens de les weleens met elkaar te smoezen. Dat doen vriendinnen nu eenmaal graag. Meisjes hebben elkaar altijd veel te vertellen en dan willen ze nog weleens afgeleid zijn.

Maar als ik er iets van zei, waren ze meteen weer stil.

Ik zag die zaterdag meteen dat de kleine Maria-Anna niet aanwezig was. Ik heb daarom de kinderen in de klas gevraagd of iemand wist waar ze was. Dat was helaas niet het geval. Toen de leerlinge op maandag opnieuw niet op school was, heb ik een aantekening in het klassenboek gemaakt.

Alles was zoals op andere schooldagen. Aan het begin van de les baden we ons ochtendgebed, zoals elke dag, en zoals altijd stonden we vooral even stil bij de leerlingen die door ziekte niet op school konden zijn.

Dat is heel gewoon, dat gebeurt altijd, dat is geen uitzondering. Ik kon op dat tijdstip nog niet weten hoe belangrijk ons gebed voor de kleine Maria-Anna was.

Het kwam wel vaker voor dat er leerlingen ontbraken, ze werden meestal achteraf door hun ouders geëxcuseerd, of als er ook een broer of zusje op school zat, door hem of haar.

Ik had me daarom voorgenomen dat als de leerlinge op dinsdag nog steeds zonder opgaaf van reden wegbleef, ik met de fiets naar de boerderij van haar grootouders in Tannöd zou rijden. Ik wilde op dinsdag meteen na school naar hen toe, maar ik werd helaas opgehouden. Sindsdien breek ik me het hoofd over de vraag of ik er al eerder heen had moeten gaan. Maar zou dat de kleine Maria-Anna hebben geholpen? Ik weet het niet.

Ludwig Eibl, postbode, tweeëndertig jaar

De boerderij van de familie Danner ligt bijna aan het eind van mijn ronde. Ik doe die route al een halfjaar. Ik kom er bijna dagelijks. Of zeker driemaal per week. Danner heeft namelijk een abonnement op de *Heimauer Nachrichten* en die verschijnt driemaal in de week. Maandags, woensdags en vrijdags.

Als er niemand thuis is, moet ik de post gewoon naast de voordeur in het raam achterlaten, dat heeft Danner met me afgesproken.

Op maandag ben ik er nog geweest, en toen niemand opendeed heb ik de post achtergelaten zoals overeengekomen. Bij die gelegenheid heb ik ook door het raam gekeken. Maar er was niemand te zien.

Zoiets komt af en toe wel voor. Dat er niemand thuis is, bedoel ik. Nee, dat is niet ongewoon. In dit jaargetijde zijn de mensen vaak in het bos voor de houtkap. Dan moet iedereen helpen, dan is er niemand meer op de boerderij.

De hond, ja, misschien heeft die geblaft. Die heeft vast en zeker geblaft. Maar ik kan het me niet herinneren. Honden blaffen altijd als ik kom. Dat hoor ik niet eens meer. Dat is nu eenmaal zo in mijn beroep.

Toen ik weer op mijn fiets zat, heb ik me nog eenmaal omgedraaid om te controleren of mijn tas goed op de bagagedrager zat. Als hij leeg is, glijdt hij makkelijk weg. Op dat moment heb ik ook nog een keertje naar het huis gekeken.

Of er rook uit de schoorsteen kwam? Wat een vraag. Ik heb geen idee of er rook uit de schoorsteen gekomen is. Er is mij in elk geval niets opgevallen.

Maar ik heb er ook niet op gelet.

Als ik eerlijk ben, ik was niet erg gesteld op de mensen van de boerderij. De oude Danner was een wantrouwige man. Een vreemde vogel. Zijn vrouw, vrouw Danner, was niet veel anders. Die hebben de humor niet uitgevonden.

Nou ja, hoe dan ook. Vrouw Danner heeft bij haar man vast geen gemakkelijk leventje gehad.

Zijn dochter, Barbara Spangler, is wel een vlot type, maar eigenlijk ook uit hetzelfde hout gesneden als haar ouders.

De geruchten dat bij hen alles in de familie blijft, zelfs de kinderen, heb ik vaker gehoord. Wie kent ze niet, en als postbode hoor je het een en ander, maar als je altijd alles moet geloven ...

Weet u, het kan me niet schelen wie de vader van de twee kinderen van Barbara is.

Ik zou heel wat te doen hebben als ik me ook nog met de aangelegenheden van anderen zou moeten bezighouden. Voor dat soort vragen moet u elders zijn. Ik breng de post rond en bemoei me nergens mee.

Het weer was vandaag over de hele dag genomen iets beter dan de afgelopen weken. Geen sneeuw meer, ook de wind is gaan liggen. Af en toe vallen er een paar druppels regen. Het is net alsof het landschap onder een melkachtig witte sluier mist ligt. Typisch voor dit jaargetijde. Van de bosrand trekken de eerste nevelslierten in de richting van de wei, van het huis. Het is laat in de middag en de dag loopt ten einde. De schemering komt langzaam op.

Hij loopt naar het huis. De post zit tussen de spijlen van het traliewerk waarmee het raam naast de voordeur is beveiligd. Als er niemand thuis is, laat de postbode hier altijd de post achter. Een brievenbus was zo niet nodig. Het gebeurt trouwens bijna nooit dat er helemaal niemand op de boerderij is. De post wordt meestal persoonlijk in ontvangst genomen, en als dat niet kan, is er het raam naast de deur.

Er zit een krant tussen de twee spijlen van het traliewerk en het raam, verder niets. Hij klemt hem onder zijn arm en haalt uit de zak van zijn jas de sleutel van de voordeur. Een grote, ouderwetse, ijzeren sleutel. Is met de jaren blauwzwart gaan glanzen, door het gebruik. Hij steekt de sleutel in het slot en ontgrendelt de voordeur.

Na het openen van de deur komt hem een golf onfrisse, wat muf riekende lucht tegemoet. Vlak voordat hij het huis betreedt, draait hij zich om en kijkt even alle kanten op. Hij gaat naar binnen en sluit de deur achter zich af.

Hij loopt door de gang naar de keuken. Opent de keukendeur en gaat naar binnen. Met het van die ochtend resterende hout wakkert hij het vuur in het fornuis aan. Vult net als die ochtend vroeg de stoofpan met aardappelen. Voedert het vee en geeft het te drinken. Melkt de koeien en verzorgt de kalveren.

Maar ditmaal verlaat hij het huis niet als hij het werk in de stal heeft gedaan. Hij gaat naar de schuur, pakt de pikhouweel die hij al klaar had gelegd en probeert in de rechterhoek van de schuur een gat in de grond te slaan.

Met de houweel maakt hij de vastgetrapte lemen bodem los. Maar vlak onder de oppervlakte stuit hij op een stenige, rotsachtige laag. Hij probeert het nogmaals op een andere plek. Ook hier zonder succes. Hij laat het plan varen.

Hij stampt de losgehakte grond met zijn schoenen aan en strooit er stro over.

Hij gaat terug naar de keuken. Hongerig van de inspanning snijdt hij in de voorraadkamer een stuk rookvlees af. Neemt de laatste homp brood die in de keukenkast ligt. Nog een slok water uit de kraan, en hij verlaat keuken en huis.

Kurt Huber, monteur, eenentwintig jaar

Het was op een dinsdag, ja, op dinsdag 22 maart 195...

De oude Danner had al een week eerder bij ons opgebeld, op het bedrijf. Hij had op spoed aangedrongen.

Maar het weer was er niet naar, je kon er niet zomaar in drie kwartier met de fiets naartoe rijden. Het sneeuwde steeds weer, en tussendoor regende het. Echt rotweer. En werk hebben we op het bedrijf zelf ook genoeg.

Ik moet eerlijk zeggen dat ik niet graag naar die mensen in Tannöd ga.

Waarom niet? Het zijn een beetje rare lieden. Vreemde vogels. En ze zijn gierig. Echt gierig, ze zijn jaloers op elk stukje brood van een ander, elke slok water.

Toen ik van de zomer de motor van de hakselmachine moest repareren, hebben ze me niet eens wat te eten aangeboden. Terwijl ik toch vijf uur achtereen aan dat ding heb zitten prutsen. Niet eens een glas water of een kop melk, niet eens een half glas.

Maar als ik eerlijk ben, ik zou het bij die mensen ook niet door de keel hebben kunnen krijgen. Alles was er zo vies en smerig. Daar kan ik niet tegen.

Toen ik aan de kraan in de keuken mijn handen waste, heb ik er een beetje rondgekeken. Foei, hoe je in die smeerboel kunt leven. Ik zou het niet kunnen.

De oude vrouw Danner, in haar verstelde, smerige schort. Haar kleinkind, altijd met een snottebel.

U denkt toch niet dat zij zijn neus schoonmaakt? Het kleintje kroop op de grond rond en raapte af en toe wat op om het in zijn mond te steken. Vrouw Danner zag het wel, maar zei er niets van. Toen het kleintje begon te huilen, heeft de oude vrouw het opgepakt en op haar schoot genomen en hem zijn speen gegeven. Eerst heeft ze de speen nog afgelikt en in de suikerpot gestoken, die op tafel stond. Moet je nagaan! Alles plakte, in de suikerpot zaten klonten van het speeksel en de suiker.

Ik begrijp zoiets niet. Ik zou geen hap door mijn keel hebben kunnen krijgen, maar ze hadden me wel iets kunnen aanbieden, vind ik. Dat hoort erbij. Dat is een kwestie van fatsoen, toch?

Dus toen ik de opdracht kreeg de motor te gaan repareren, was ik er helemaal niet happig op daar nog eens heen te gaan. En zeker niet met dat hondenweer.

De oude Danner heeft toen nogmaals gebeld en zijn beklag gedaan bij onze baas, en toen had ik geen keus meer. Ik ben op het bedrijf mijn gereedschap gaan halen en ben meteen op dinsdag om acht uur 's ochtends op de fiets gestapt.

Hoe laat ik er was? Vlak voor negenen, denk ik. Ja, het moet vlak voor negenen zijn geweest. Ik was aardig bezweet toen ik bij de boerderij aankwam. Ik wilde door de tuinpoort naar de voordeur. Maar de tuinpoort was afgesloten. Eerst moet alles overhaast en dan blijkt er niemand thuis te zijn, heb ik nog gedacht. Nou ja, misschien zijn ze achter het huis.

Ik ben dus met mijn fiets om het huis heen gelopen. Ik kwam ook langs de twee stalraampjes aan de achterkant van het huis. Ik heb nog door een van de raampjes naar binnen gekeken. Maar ik zag niets. Er was misschien wel iemand in de stal bij de koeien. Maar dat was niet zo. Ik heb ook door het keukenraam gekeken. Maar ook daar was niemand te zien.

Toen wist ik niet goed meer wat ik moest doen. Ik heb mijn fiets tegen een boom gezet en ben gaan wachten.

Hoe lang? Het zullen zo'n tien minuten zijn geweest, denk ik. Ik heb een sigaretje opgestoken en het rustig opgerookt. Dat duurt zo'n tien minuten.

Er moet dadelijk toch iemand komen, dacht ik nog. Na een poosje heb ik inderdaad iemand gezien. Een man of een vrouw, ik weet het niet. Ik zag hem of haar op een behoorlijke afstand, hij stond een eind verder op de akker.

Eerst heb ik nog gedacht dat hij het was, de oude Danner. Ik heb staan roepen en fluiten. Maar de man op de akker heeft het niet gehoord. Die is niet naar me toe gekomen, hij was even snel verdwenen als hij was opgedoken.

Ik heb daarna weer even staan wachten. Ik voelde me een sul. Maar terugfietsen zonder de motor gerepareerd te hebben, wilde ik ook niet. Dan had ik een paar dagen later weer terug gemoeten. Zo'n motor slaat niet vanzelf weer aan.

Ik had geen andere keus, ik ben gewoon naar het motorschuurtje gegaan. Dat ligt vlak achter de grote schuur, of vlak achter de stal en grote schuur. Die zijn aan elkaar gebouwd.

Ik wist nog van de vorige keer waar ik de machine kon vinden.

Hoe laat het toen was? Rond halftien. Ja, het moet zo rond halftien zijn geweest.

De deur was met een hangslot vergrendeld. Ik heb nog gezocht of ik ergens de sleutel kon vinden.

Weet u, sommige mensen leggen de sleutel ergens vlakbij neer. Onder een steen bijvoorbeeld, of onder een emmer, of aan een haakje aan de zijkant, vlak onder het dak. U hebt geen idee wat ik allemaal al niet heb meegemaakt. Dat doen ze om de sleutel niet kwijt te raken en makkelijk terug te kunnen vinden. Dat is waanzin, zo ondoordacht als de pest. Ze kunnen net zo goed meteen de deur open laten staan. Maar zo zijn de mensen nu eenmaal, je staat er versteld van.

De Danners hadden de sleutel helaas nergens in de buurt gedeponeerd, niet onder een steen en ook niet aan een haakje. Ik wilde terug naar het dorp, dat zei ik al, maar ik wilde ook niet onverrichter zake weg, en mijn volgende afspraak met een klant was ook pas 's middags, bij de Brunners in Einhausen.

Kort en goed, ik heb mijn gereedschapskist van de bagagedrager gehaald en heb met mijn tang het draadje waaraan het hangslot hing verbogen. Ik hoefde daarna het slot er alleen nog af te haken.

Ik voelde me net een inbreker of een dief. Maar goed, ik wilde niet weer helemaal daarnaartoe, en als er iemand gekomen was, had ik het wel kunnen uitleggen.

Maar er is niemand geweest. Alleen de hond, die heb ik heel hees horen blaffen. Hoewel ik hem nergens heb gezien. Ik hoorde ook de koeien. Niet heel hard, maar wel aan één stuk door, bedenk ik me nu pas.

Toen ik het slot eraf had en de deur van het schuurtje had geopend, kon ik eindelijk aan de machine beginnen. Ik had sowieso al een heel uur verprutst. Daar word je niet voor betaald, en al helemaal niet door die oude Danner.

Iemand als hij houdt je elke minuut in de gaten, iemand als hij moet je liefst nog wat toe geven, die verhongert nog eens met een stuk brood in zijn mond. De koppakking van de machine was kapot, dat had ik al wel gedacht. En het verwisselen ervan, dat vreet tijd.

Ik heb toentertijd in de zomer al tegen de oude Danner gezegd dat hij een nieuwe machine moest kopen en de oude inruilen. Het was nog een model van voor de oorlog, maar dat wilde die gierigaard niet, hoewel dat tegenwoordig schering en inslag is.

Op de boerderij was nog steeds niemand te zien. Ik begon het langzamerhand eng te vinden. De deur van het motorschuurtje heb ik daarom helemaal opengezet. In de eerste plaats had ik zo meer licht om bij te werken en in de tweede plaats kon iedereen dan meteen zien dat ik al was begonnen met het repareren van de motor.

Ik was bijna klaar en moest alleen nog een moer aandraaien, maar die glipte uit mijn vingers en rolde gelijk de greppel in.

In het schuurtje was zo'n oude greppel waar de melk in volle melkbussen koel kon worden gehouden. Godzijdank zat er geen water in, hij was leeg.

Ik dus de greppel in. Die zijn niet zo diep, ze reiken tot aan mijn heupen, als ze al zo diep zijn, en ik pak de moer op.

Op het moment dat ik me bukte om de moer te zoeken, leek het alsof er een schim voorbijschoot. Ik kon het niet zien, het was meer een gevoel. Een stem vanbinnen die zegt dat er iemand is, ook al zie je die persoon niet. Maar hij is er wel, je voelt het, er is iemand.

Ik meteen de greppel uit.

'Hallo, is daar iemand? Hallo!' heb ik geroepen.

Geen antwoord. Ik voelde me de hele tijd al niet prettig daar, maar nu werd de boerderij ook nog luguber. En dan dat aanhoudende geblaf van die rothond, die je niet ziet.

Ik heb zo snel mogelijk de moer aangedraaid en mijn gereedschap ingepakt. De motor even getest, maar er daarna meteen als een haas vandoor.

Ik heb het hangslot weer op zijn oude plaats vastgezet. Mijn spullen onder de snelbinders en wegwezen!

Terwijl ik zo met mijn fiets om het huis heen loop, zie ik nog steeds niemand. Alleen de deur van de oude machineschuur stond open, en dat was eerder niet zo. Dat weet ik absoluut zeker.

Ik dacht dat er misschien toch iemand was. Ik zet mijn fiets nog even tegen de muur en loop een paar meter de schuur in.

'Hallo, is daar iemand?' heb ik geroepen, maar ook nu geen antwoord. Niets.

Ik wilde niet verder de schuur in, voor mijn gevoel was het er niet pluis.

Ik ben nog langs de voordeur gelopen en heb eraan gerammeld, maar die zat op slot.

Niets kon me nu nog op het erf houden. Ik was blij dat ik weg kon.

Even na tweeën moet ik klaar zijn geweest, want op de terugweg naar het dorp heb ik de kerkklok het halve uur horen slaan.

Of ik nog iemand op de akker heb gezien? Nee, ik heb niemand gezien. Alleen wat kraaien. Geen wonder, bij dat weer. Het was weer gaan motregenen, heel zachtjes. Ik heb gefietst alsof de duivel me op de hielen zat.

De hele rit van de boerderij naar het dorp heb ik gedacht: als er iemand op de boerderij was, had hij het lawaai van de machine moeten horen. Dat kan niet anders.

Ik heb me vast vergist, er was niemand, maar de schim, mijn stem vanbinnen, mijn gevoel, ik weet het niet.

Bij de afspraak in Einhausen heb ik de mensen later het hele verhaal verteld, omdat het maar in mijn hoofd bleef malen.

Ik ben meer dan vijf uur op de boerderij van Danner geweest, en er is niemand poolshoogte komen nemen. Vijf uur moederziel alleen op de boerderij zonder een menselijk wezen te zien.

Vrouw Brunner vond het ook heel raar, 'al was het alleen al vanwege dat kleine kind dat ze in Tannöd hebben, zo'n kind moet toch slapen en eten,' zei ze. 'Dan kun je toch niet de hele dag de hort op.'

Maar haar man zei alleen maar: 'Die zijn vast met de houtkap bezig, dat kost nu eenmaal tijd.'

Het mes. Waar is het mes, zijn zakmes? Hij heeft het altijd bij zich, in zijn achterzak. Een vaste gewoonte sinds de dag waarop hij het mes cadeau heeft gekregen. Op de dag van zijn vormsel.

Hij kan het zich nog goed herinneren, hij heeft het op de dag van zijn vormsel gekregen. Een cadeau van zijn peter. Een knipmes, een prachtig, handig mes met een bruin heft. Het lag in een doosje. Hij kan het zich nog goed herinneren.

Het cadeaupapier waarin het doosje verpakt was. Dun papier met bloemmotief, fleurige tuinbloemen. Een rood lint om het pakje heen. Louter van opwinding scheurde hij het papier kapot. Er kwam een bruin kartonnen doosje uit tevoorschijn. Zijn handen trilden van de zenuwen en van blijdschap toen hij het doosje opende. Daar lag het, een zakmes. Zijn zakmes. Vol trots droeg hij het mes vanaf die dag altijd bij zich. Het was zijn kostbaarste bezit.

Geen van de andere jongens in het dorp had zo'n mes. Hij had er altijd dat gevoel bij, het prettige gevoel dat hij kreeg als hij het mes ter hand nam of zelfs alleen maar bij zich droeg. Hij hield het graag en vaak in zijn hand, liet het van de ene in de andere glijden. Het gaf hem zekerheid. Ja, zekerheid.

Met de jaren sleet het mes door het gebruik. Maar het gevoel bleef bestaan.

En nu zoekt hij het mes de hele dag al. Wanneer heeft hij het voor het laatst gebruikt? Waar heeft hij het laten liggen?

Hij loopt de dag van gisteren van begin tot eind na. Langzaam, als uit de mist, doemt er een beeld voor zijn ogen op. Hij ziet zichzelf met het mes in zijn hand een stuk rookvlees afsnijden. Ziet zichzelf het mes naast het bord met vlees leggen.

Hij voelt de onrust die langzaam in hem opstijgt. Zijn hart slaat snel, klopt in zijn keel. Hij heeft het mes niet in zijn zak gestoken. Hij weet het zeker. Hij heeft het mes laten liggen. Zijn mes. Zijn mes ligt in de provisiekamer naast het rookvlees. Hij ziet het heel duidelijk voor zich liggen. Hij hoeft het alleen maar te pakken.

Hij wordt overvallen door paniek. Hij moet het huis in. Hij moet het mes halen, zíjn mes. Hij kan niet tot de avond wachten, kan niet wachten tot de duisternis valt. Dat duurt nog uren, veel te lang. Er kan veel gebeuren voor het avond is.

Waarom heeft hij er vanochtend niet aan gedacht? Hij heeft het vee in de stal verzorgd en is haastig vertrokken. Hij is weggegaan zonder te controleren of alles weer op de juiste plaats lag. Dat is zijn fout geweest. Waarom is hem dat nu pas opgevallen? Maar wat doet dat ertoe. Hij heeft geen andere mogelijkheid, hij moet het huis in. Op klaarlichte dag moet hij het huis in, hoe gevaarlijk het ook is.

Hij ziet de fiets tegen de fruitboom staan. Ziet de open deur van het machineschuurtje. Hij hoort iemand neurien, fluiten. Voorzichtig komt hij naderbij. Hij spiedt naar binnen. De man is zo druk bezig met de hakselmachine, dat hij hem niet opmerkt. Vanaf zijn plek naast de deur observeert hij de onbekende.

Die laat iets vallen dat op de grond terechtkomt en de greppel in rolt. De vreemdeling vloekt en kijkt zoekend om zich heen. Laat zich ten slotte in de greppel zakken.

Op dit moment heeft hij gewacht. Hij glipt langs de open deur. Voor de ander uit de greppel kan klauteren, is hij al om het huis heen gelopen. Haalt de sleutel uit zijn jaszak en verdwijnt naar binnen. Het zakmes ligt nog op de plek waar hij het heeft vergeten. Hij wacht nog een paar minuten. Het lijkt hem wel een eeuwigheid. Hij wil een gunstige gelegenheid afwachten om het huis weer te verlaten. De motor van de hakselmachine wordt aangezet. Hij hoort het lawaai. Haastig, zonder te worden gezien, verlaat hij het huis.

Dagmar, dochter van Johann Sterzer, twintig jaar

Het is op dinsdag geweest, om halfdrie. Mijn moeder en ik waren juist de tuin in gegaan. De bieten wieden.

We waren nog maar amper in de tuin of de monteur van het landbouwmachinebedrijf komt voorbijfietsen. Ik ken hem, hij is ooit bij ons geweest. Om een machine te repareren.

Vlak bij ons tuinhek remde hij af. Stopte even, maar bleef op zijn fiets zitten. Hij heeft ons enkel vanaf de omheining toegeroepen dat als we Danner zagen, we hem moesten zeggen dat de motor het weer doet. Hij had er vijf uur voor nodig gehad, de rekening zou hij hem per post toesturen.

De monteur is meteen weer op zijn fiets gestapt en doorgereden.

Mijn moeder en ik hebben ons er nog over verbaasd dat er bij Danner niemand op de boerderij was. Maar we hebben ons er verder niet druk over gemaakt. Even later was ik het alweer vergeten. Ik heb er niet meer aan gedacht.

Ongeveer een uur na de monteur dook Hansel Hauer op. Ik was nog steeds met mijn moeder in de tuin. Hansel zwaaide met zijn armen. Hij molenwiekte wild in de lucht. Hij was helemaal over zijn toeren. Al van verre schreeuwde hij of vader soms thuis was, er was iets bij Danner gebeurd.

Net op dat moment kwam vader ons huis uit. Hij had Hansel door het raam al zien aankomen.

Die was nog niet bij ons huis of hij begon al weer te roepen. Zijn vader, boer Hauer, had hem gestuurd omdat er bij Danner iets niet in orde was.

'Sterzer, je moet mee naar Tannöd, naar de boerderij.'

Ze wilden niet alleen gaan kijken. Sinds zaterdag hadden

ze niemand van de Danners meer gezien. Zelfs op zondag is niemand van hen in de kerk geweest.

Toen moest ik weer denken aan de monteur, dat hij die dag ook al gezegd had dat er bij Danner niemand op de boerderij was.

Hansel heeft ons verteld dat hij door zijn tante naar de Danners was gestuurd. Om te kijken wat er aan de hand was, omdat ze al een paar dagen niemand van hen meer hadden gezien.

Op de boerderij had het vee staan loeien en de hond had als een gek staan janken. Hansel heeft aan de voordeur staan rukken, maar die was afgesloten. Hij heeft er flink aan getrokken en ertegenaan geduwd en hij heeft er ook op staan bonzen, en hij heeft om Barbara en Marianne staan roepen. En omdat niemand antwoordde en hij het op die boerderij plotseling eng begon te vinden, is hij teruggegaan naar zijn vader.

Hij heeft zijn vader alles verteld en die heeft hem naar ons toegestuurd, zodat iemand van ons mee zou gaan naar de boerderij. Nu is hij hier, en vader en Lois, die moeten meteen mee naar Tannöd. Hauer wacht daar op hen.

Mijn vader is met Lois meteen op pad gegaan. Naar de boerderij van Danner. Hansel hebben ze meegenomen.

Daar hebben ze hen ook gevonden. Allemaal.

Door Uw willige gehoorzaamheid,
verlos hen, Heer!
Door de oneindige liefde van Uw goddelijk hart,
verlos hen, Heer!
Door Uw angsten en bezwaarlijkheden,
verlos hen, Heer!
Door Uw bloed en zweet,
verlos hen, Heer!
Door Uw gevangenneming,
verlos hen, Heer!
Door Uw wrede geseling,
verlos hen, Heer!
Door Uw smadelijke kroning en bespotting,
verlos hen, Heer!
Door Uw zware kruisgang,
verlos hen, Heer!
Door het kostbare bloed van Uw wonden,
verlos hen, Heer!
Door Uw kruis en Uw verlatenheid,
verlos hen, Heer!
Door Uw dood en Uw begrafenis,
verlos hen, Heer!
Door Uw verrijzenis,
verlos hen, Heer!
Door Uw wonderbare hemelvaart,
verlos hen, Heer!
Door de komst van de Heilige Geest van de Vertrooster,
verlos hen, Heer!
Op de Dag des Oordeels,
verlos hen, Heer!
Wij arme zondaars,
wij smeken u, verhoor ons!

Gij die de zondares Maria Magdalena vergeven hebt,
wij smeken u, verhoor ons!

Michael Baumgartner banjert door de sneeuwregen op de boerderij in Tannöd af. De wind blaast hem in zijn gezicht. Hij kent de weg, kent de hoeve. Anders was het moeilijk geweest om bij dit weer midden in de nacht de boerderij te vinden. De afgelopen jaren heeft hij vaak op de boerderij gewerkt. In de lente in het bos, in de zomer op de akker. Er was altijd genoeg te doen.

Mich, zoals hij door iedereen wordt genoemd, werkt niet graag te lang achtereen op een boerderij. Hij trekt van plaats naar plaats, 'altijd van honk', zoals hij zegt. Slaapt nu eens in een schuur, dan weer op een zolder.

Hij voorziet in zijn levensonderhoud met los werk, denkt iedereen. Hij is af en toe ook wel als marskramer op weg geweest.

Maar in werkelijkheid leeft hij van diefstal en inbraak, hongerig naar mogelijke kleine vergrijpen.

Op boerderijen kijkt hij goed om zich heen. Als hij verder trekt weet hij meestal genoeg. Weet waar bij wie wat te halen valt. Mich weet hoe dat slag volk te beduvelen. Daar heeft hij talent voor, 'een ader', zoals hij zelf zegt.

Een poosje op een boerderij werken. Flink aanpakken, dan win je het vertrouwen van de mensen. Stroop om de mond smeren, hoe goed iemand 'zijn zaakjes' voor elkaar heeft, 'hoe mooi de boerderij is', nog een of twee grappen, een knipoog, en de trotse eigenaar loopt al naast zijn schoenen. Ook, of juist áls ze normaal gesproken gesloten types zijn. Hij legt zijn oor te luisteren, houdt zijn ogen open en gaat na enige tijd weer zijns weegs. Zijn kennis over de boerderijen en hun eigenaren geeft hij door of hij knapt het karweitje zelf op, als de gelegenheid gunstig is. Net zoals het hem uitkomt.

Als je het een beetje handig aanpakt, niet te gretig bent

en op het juiste moment wacht, kun je meestal wel een aardige boterham verdienen. Je mag je niet laten snappen, gesnapt worden alleen mensen die te gretig zijn, mateloos, onvoorzichtig.

Mich is niet te gretig, dat ligt niet in zijn aard, en tijd heeft hij in overvloed.

De gestolen goederen worden door zijn zwager in omloop gebracht. Zijn zus en haar man hebben een kleine boerderij in Unterwald. Het huis ligt ideaal. Afgelegen, nauwelijks zichtbaar.

Meteen na de oorlog heeft zijn zwager flink aan de zwarte handel verdiend. Met de geldhervorming van 30 juni 1948 kwam aan dat soort handel vanzelf een eind.

Maar in zijn tijd als zwarthandelaar heeft de zwager goede contacten kunnen opbouwen. Zo ontstond een kleine kring van helers, handelaren en handlangers.

De taken zijn goed verdeeld. Mich trekt van boerderij naar boerderij en hoort de mensen uit. Als de tijd er rijp voor is, sluipt hij, zijn zwager of een van de oude kameraden van zijn zwager een boerderij binnen. Steelt geld, kleren, sieraden, levensmiddelen, kortom, alles wat verzilverd kan worden. Niemand komt op de gedachte hem, Mich, met de daad in verband te brengen. Hij laat zich bij de boeren in kwestie lange tijd niet meer zien.

Als in een bepaalde streek de grond onder zijn voeten te heet wordt, trekt hij verder. Of hij onderbreekt zijn activiteiten voor een tijdje. Verlegt zijn commerciële belangen naar andere gebieden.

Venten vormde een goed alternatief.

Zijn zwager is voor en zelfs nog tijdens de eerste jaren van de oorlog marskramer geweest. Verpatste de boeren alle mogelijke dingen, schoenveters, haartincturen, koffie vóór de oorlog, koffiesurrogaat in de oorlog. Allerlei andere rommel. Vanwege een beenwond hoefde hij als invalide niet in dienst. 'Adolf had mannen nodig, geen kreupelen. Hij kon ze zelf wel kreupel maken,' lachte hij altijd besmuikt en hij tikte daarbij op zijn been.

Ook toen de zwarte handel voorbij was, is hij, de zwager, af en toe als marskramer op pad geweest.

Aanvankelijk ging Mich alleen maar mee. Intussen is hij zelf soms als marskramer op pad. Maar alleen zo nu en dan.

Hij werkt veel liever als seizoenarbeider op de boerderijen en weet het een en ander over boeren en hun boerderijen uit te dokteren.

In de nazomer van het laatste jaar heeft hij een tijdlang als plukker bij de hopoogst geholpen. Slecht verdiend heeft hij niet, en de verzorging was ook niet slecht. Zelfs het onderkomen in de schuur was naar zijn zin geweest.

In de herfst is hij korte tijd als marskramer van huis naar huis getrokken. Hij is zelfs langs Tannöd gekomen. Maar hij heeft zich niet bij Danner op de boerderij vertoond. Hij wilde niet gezien worden, want de bewoner uit Tannöd stond nog op zijn lijstje. Voor slechte tijden. Een financiële reserve, als het ware.

Hij is niet op zijn achterhoofd gevallen. Een paar vette kluiven moet je voor tijden van nood achter de hand houden, een soort spaarvarken. En Danner is een spaarvarken, dat weet Mich zeker.

In november is het hem niet zo goed vergaan. Hij wilde met zijn zwager koperdraad versjacheren.

Koper was zoals altijd gewild en je kon het goed verkopen als je de juiste handelaren kende. Zijn zwager kende een paar lieden die de bovengrondse telefoondraden kapten. Die moesten dan worden verkocht. Die lieden waren niet van het snuggerste soort, het liep allemaal spaak en Mich draaide voor het eerst van zijn leven wegens heling en een paar kleine vergrijpen voor een paar weken de bak in.

Niet lang, maar het waren wel mooi drie maanden. Hij is nog maar net op vrije voeten. Bij zijn zuster kan hij niet terecht. Zijn zwager zit nog gevangen en zijn zuster kan hem niet te eten geven. Het is nu dus tijd om zijn spaarvarken aan te spreken. De man uit Tannöd is rijp voor de pluk.

Hij kent de boerderij goed van zijn vroegere trektochten. De oude Danner heeft hem ooit het hele huis en de boerderij laten zien. Hij had duchtig opgesneden over 'zijn bedrijf', en Mich had zich bij voorbaat al zitten verkneukelen.

'De oude sukkel' had zelfs over zijn geld verteld, dat hij 'niet allemaal op de bank' had gezet. Thuis had hij ook altijd wat, en niet zo'n beetje ook. De sfeer was prima geweest. Hij wist hoe hij zich bij Danner geliefd kon maken.

De oude was een leperd, iemand met wie Mich wist om te gaan. Danner ging er prat op dat hij zijn buren te grazen had genomen of hen had opgelicht.

Hij praatte maar en praatte maar en hij, Mich, had hem al in zijn zak. Daarom is hij nu midden in de nacht op weg naar de boerderij. Alleen had hij er absoluut geen rekening mee gehouden dat het weer zo slecht zou zijn. Hij is zowat drijfnat als hij eindelijk bij de boerderij is. Hij kent de hoeve op zijn duimpje. Zelfs de hond is geen probleem.

Bij zijn omzwervingen, 'van honk', heeft hij ooit bij een schaapsherder onderdak gevonden, en van hem heeft hij met honden leren omgaan. Bovendien kent het dier hem nog van zijn verblijf op de boerderij.

Hij bereikt via het machineschuurtje de stal. Vandaar gaat hij naar de zolder. Kinderlijk eenvoudig voor hem. Alles loopt op rolletjes. In de duisternis heeft niemand hem gezien. De hond heeft hem herkend en is niet aangeslagen. Als nooduitgang bevestigt hij een touw aan een houten balk in de tussenzoldering van de schuur. Zeker is zeker. Daarna strooit hij stro op de houten planken om zijn voetstappen te dempen. De slapenden onder hem moeten niet gewekt worden. Niemand mag zijn aanwezigheid opmerken. Vandaag is het vrijdag. Over een paar uur komt de zon op. Hij zal van daarboven het leven op de boerderij observeren, op een gunstig tijdstip het huis binnen gaan en 'het spaarvarken slachten'. Hij is tevreden. In zijn beroep is haastige spoed nooit goed. Hierboven zal niemand hem vinden. Hij kan de pannen van binnenuit wat opzijschuiven en zo de hele boerderij overzien. Hij kan wachten. Hij heeft de tijd.

Georg Hauer, boer, negenenveertig jaar

Vrijdag 18 maart, dat was de dag dat ik Danner voor het laatst heb gezien.

Ik wilde die dag naar Einhausen.

Ik moest iets halen bij de ijzerwarenhandelaar. Ik wilde dat jaar de schuur herbouwen. Daarom ben ik met de hooiwagen gegaan.

Te voet doe je er ruim een uur over, zou ik zeggen.

Toen ik bij het erf van Danner kwam, de weg gaat onder langs de boerderij, stond de oude al van verre te zwaaien.

Sinds de kwestie met Barbara ben ik Danner altijd een beetje uit de weg gegaan. We hebben niet veel meer met elkaar gepraat. Maar ik ben wel even gestopt. Met tegenzin.

'Stop even. Halt, ik moet je wat vragen!' riep hij, de oude Danner.

Eerst draaide hij er wat omheen. Ik kreeg al spijt dat ik was blijven staan. Opeens vroeg hij me of ik wat had gezien, of me iets was opgevallen.

'Wat had me moeten opvallen? Ik heb niets opvallends gezien.' Ik stond me te ergeren.

Als hij zo begint, dan heeft hij weer iets in de zin. Boerenslimheid, dat had Danner wel. Hij had alles meteen in de smiezen. Ik was daarom verbaasd toen hij informeerde of ik iemand was tegengekomen, of ik iemand had gezien.

'Waarom?' heb ik hem gevraagd.

'Vannacht heeft iemand geprobeerd bij ons in te breken. Er is niks gestolen. Maar het slot op het machineschuurtje is kapotgetrokken.'

'Dan moet je de politie erbij halen,' heb ik hem nog aangeraden.

Maar hij wilde de politie niet in huis hebben, antwoordde hij.

'Met die mannen in uniform wil ik niks te maken hebben.'

Hij had het hele huis al afgezocht. Hij was zelfs boven op zolder geweest. Met zijn lamp had hij elk hoekje afgezocht, maar hij had niets gevonden.

Hij had de hele nacht al het gevoel gehad dat er iemand op zolder aan het rommelen was. Vandaag was hij in alle vroegte naar boven gegaan. Maar hij had niets gevonden. Er was ook niets weg.

Ik heb hem nog gevraagd of ik hem moest helpen zoeken. Koppig als hij was, zei hij dat de indringer er weer vandoor was gegaan. Hij wist alleen niet hoe, alle sporen wezen erop dat hij wel het huis in gegaan was, maar niet meer eruit.

's Nachts was er sneeuw gevallen. Niet veel, twee centimeter. Maar de voetafdrukken had hij nog half kunnen onderscheiden.

'Moet ik mijn revolver halen?' heb ik hem gevraagd. Ik heb er nog een uit de oorlog, een trommelrevolver.

Danner maakte een afwerend gebaar.

'Niet nodig. Ik heb zelf een geweer en een flinke knuppel. Ik zal het tuig wel even aanpakken.'

Ik heb hem nog aangeboden op de terugweg even langs te komen om samen met hem de boerderij nogmaals af te zoeken.

Maar de oude stijfkop wilde niet.

Toen ik met de wagen juist weer wilde vertrekken, draaide de oude zich nog een keer om en zei: 'Raar is het wel dat ik sinds gisteren de huissleutel niet meer kan vinden. Als je er een vindt die zo lang is,' hij gaf met zijn handen de lengte van de sleutel aan, 'die is van mij.'

Het gesprek was ten einde en ik ben verder gereden. Eigenlijk wilde ik op de terugweg nog even bij Danner langs.

Maar het weer was opnieuw slechter geworden. Het regende en er zat zelfs wat sneeuw tussen. Daarom ben ik meteen naar huis gegaan.

Die nacht heeft het zelfs nog weer gevroren. Het wilde dit jaar trouwens helemaal geen lente worden.

Dat de Danners op zondag niet in de kerk waren, is me wel opgevallen, maar ik heb verder niets vermoed.

Op maandag was ik op het veld aan het werk, aan de bosrand. Die akker grenst aan de grond van Danner. Die akker heb ik geploegd. Maar ik heb al die tijd niemand van de Danners gezien.

Op dinsdag heeft mijn schoonzus, Anna, Hansel naar de boerderij gestuurd om poolshoogte te nemen. Toen pas heb ik weer moeten denken aan de inbraak en de zoekgeraakte huissleutel. Voor de rest weet u alles.

De oude vrouw Danner zit aan de keukentafel. Zij bidt:

'Barmhartige Jezus, onze redding,
ons leven, onze verrijzenis zijt Gij alleen.
Daarom smeek ik U,
verlaat me niet in mijn nood en mijn angst,
maar kom Uw dienaren te hulp
die U met Uw kostbare bloed hebt verlost,
omwille van de doodsstrijd van Uw heilige hart
en de smart van Uw onbevlekte moeder.'

In haar hand haar oude, versleten gebedenboek. Ze is alleen, alleen met zichzelf en haar gedachten.

Barbara is in de stal, wil nog even controleren of alles goed is met de beesten. Haar man is al naar bed. Net als de kinderen en de nieuwe dienstmeid.

Deze tijd van de dag, de avond, is haar het dierbaarst. Ze zit in de keuken met een mirtenkrans in haar hand. Het gebedenboek is versleten. Indertijd, vele jaren geleden, een heel leven geleden, heeft ze de bruidsgids bij haar huwelijk gekregen, zoals toen gebruikelijk. Een gebedenboek voor de christelijke vrouw.

Of ze dit leven had kunnen leiden zonder de troost en de genade van God en van de moeder Gods? Dit leven vol vernederingen, kleineringen en slagen van het lot? Alleen de troost die ze in haar geloof gevonden heeft, heeft haar op de been gehouden. Al die jaren op de been gehouden. Wie had ze in vertrouwen kunnen nemen? Haar moeder is in de Eerste Wereldoorlog gestorven. Haar vader kort erna, in de tijd toen haar latere echtgenoot als knecht op de boerderij kwam werken.

Met zijn komst heeft ze voor het eerst ervaren dat

iemand haar een beetje aandacht schonk. Die aandacht is lafenis voor haar ziel geweest. Haar hele leven werd tot dat moment bepaald door werken en het diepe geloof van haar ouders.

Ze groeide op in een kille, bigotte omgeving. Geen tederheid, geen zachte omarming, waardoor haar ziel verwarmd had kunnen worden, geen milde woorden. Op het leven dat ze leidde drukten het ritme van de jaargetijden en de daarmee samenhangende werkzaamheden op de boerderij en het strenge geloof van haar ouders hun stempel.

Die geestelijke benauwenis was bijna lichamelijk voelbaar.

Toen kwam haar latere echtgenoot als knecht op de boerderij werken. Zij, die nooit bijzonder knap was geweest, wekte de begeerte van die goed uitziende man. Van meet af aan had ze diep in haar hart geweten dat de reden van zijn begeerte niet zozeer haar onooglijke, kleine, al verwelkende persoonlijkheid was. Een oude vrijster, tweeëndertig jaar, nog niet getrouwd. Hij groot, fors, nog geen zevenentwintig. Maar ze was blind voor het feit dat hij de boerderij begeerde, niet haar lichaam.

Stemde tegen beter weten in en trouwde. Al snel na de bruiloft veranderde hij. Toonde zijn ware gezicht. Werd grof tegen haar, beledigde haar en sloeg haar zelfs als ze hem niet ter wille was.

Ze liet alles zonder klagen over zich heen komen. Niemand kon het begrijpen, maar ze hield van die man, ze hield zelfs van hem als hij haar sloeg. Ze was afhankelijk van elk woord dat hij sprak, van elke handeling van hem. Om het even hoe hardvochtig en ruw hij zich betoonde.

Toen ze zwanger werd, was zijn wreedheid amper nog te verdragen, als hij maar even kon vernederde hij haar. Bedroog haar voor ieders ogen met de toenmalige dienstmeid. Het was de eerste keer dat ze uit haar slaapkamer moest en in het opkamertje moest slapen, omdat een andere vrouw haar plaats had ingenomen. Ze was verslaafd aan hem geraakt, ze was hem onderdanig, hem gehorig. Haar hele verdere leven.

Barbara, haar dochter, kwam tijdens de aardappeloogst op het veld ter wereld.

Hij gunde haar, de barende vrouw, niet eens het voordeel van een bevalling in haar eigen bed. 's Ochtends, toen ze de eerste weeën voelde, joeg hij haar met de anderen het veld op. Ze trok krom van de pijn, en toen het bloed al langs haar benen liep en het kind met alle geweld uit haar lichaam wilde, baarde ze het arme wurm aan de rand van de akker. Schonk hem het leven hier onder de vrije hemel. Ook in de dagen na de bevalling joeg hij haar op. Ze vond geen rust.

De dienstmeid vertrok en zij verhuisde weer naar haar slaapkamer. Was hem weer ter wille. Zonder klagen. Ze wist niet beter.

De dienstmeiden kwamen en gingen. Een enkeling bleef lang. Met de tijd zou haar man wel tot bedaren komen, meende ze. Ze had zich in haar lot geschikt.

Haar dochter Barbara groeide op. Zij verafgoodde haar vader en jegens haar was hij toegewijd en teder. Ze was twaalf toen haar vader zich voor het eerst aan haar vergreep. Het duurde enige tijd voor de moeder merkte dat haar dochter veranderd was.

Ze wilde het misbruik van haar eigen dochter niet zien. Wilde het niet weten. Was te zwak zich van haar man los te maken. Waar had ze ook heen gemoeten. Zijn gedrag had als voordeel dat hij haar volkomen negeerde.

Hoe meer zijn dochter vrouw werd, des te minder hij in geslachtelijke gemeenschap met zijn vrouw geïnteresseerd was. Zij vond het best.

Ze zweeg dus. Haar man kon doen en laten wat hij wilde, hij stuitte nooit op verzet.

Behalve één keer, bij die kleine Poolse toentertijd, die als dwangarbeidster op de boerderij was, zij wist aan hem te ontkomen. Haar, zijn vrouw, was die weg ontzegd.

Ze had een hard leven gehad. Een leven vol ontberingen en vernederingen, maar ze kon zich niet aan dat leven onttrekken. Ze moest die weg tot aan het eind afleggen en ze zou de bittere kelk tot de laatste druppel legen. Dat wist ze. Het was de beproeving die de Heer haar had opgelegd.

Vreemd, ze had vandaag al vaker aan het Poolse meisje moeten denken. Ze was als een schim door haar herinnering gegaan. Jarenlang had ze niet meer aan de dwangarbeidster gedacht. De oude vrouw legt haar gebedenboek terzijde.

Ze kijkt door het raam de duistere, stormachtige nacht in.

Haar man heeft vandaag de hele dag gezocht naar de ellendeling die gisteren heeft geprobeerd hun boerderij binnen te dringen. Ze heeft gisternacht voetstappen gehoord. Alsof er iemand 'rondwaarde'.

Haar man had niets gevonden en het was de hele dag rustig gebleven.

'Die schoft is 'm gesmeerd,' had hij gezegd.

'Er is niks verdwenen, ik heb alles afgezocht. Ik laat de hond vannacht in de schuur, niemand komt langs die hond. Mijn geweer zet ik naast mijn bed.'

Zijn woorden stelden iedereen gerust. Ze voelde zich veilig, zoals ze zich haar hele leven op deze boerderij veilig had gevoeld. Barbara wilde nog even naar de stal, 'kijken of alles in orde is'.

Waar blijft ze toch, haar Barbara? Ze had allang terug moeten zijn. Ze zou eens opstaan en gaan kijken.

Moeizaam staat ze van tafel op. Ze pakt het gebedenboek en legt het in de keukenkast. Loopt de keuken uit, naar de stal.

Onrustig ligt de oude Danner in zijn bed te woelen. De slaap wil vandaag maar niet komen.

Hij probeert het, maar de wind die onophoudelijk door de kieren van het raam fluit, laat hem niet tot rust komen.

Hij heeft vandaag het hele huis op zijn kop gezet. Hij kan de voetsporen maar niet uit zijn hoofd zetten. Voetsporen die naar het huis leiden. Hij heeft ze die ochtend duidelijk in de verse sneeuw kunnen zien, voordat de regen ze uitwiste.

Hij heeft alle gaten en hoeken van het huis doorzocht. Maar niets gevonden. Hij is er zeker van dat niemand zich op zijn boerderij voor hem kan verstoppen. Dit hier is zijn rijk.

Hij heeft het slot van het machineschuurtje gerepareerd. De schoft zal wel om het huis zijn gelopen en zich uit de voeten hebben gemaakt in de richting van het bos. Hij kan alleen die weg hebben genomen. Anders had hij meer sporen moeten vinden.

's Avonds heeft hij nogmaals de hele boerderij en het erf doorzocht. Toen heeft hij gemerkt dat de gloeilamp in de stal kapot was. Hij zal voor een nieuwe moeten zorgen. Tot die tijd zullen ze het weer met de oude petroleumlampen moeten doen. Zo goed als het gaat.

De nieuwe dienstmeid ziet eruit alsof ze van aanpakken weet. Dat kan hij goed gebruiken. Hij wil niet iemand die werkschuw is. Voor Barbara en hem alleen is er te veel werk op de boerderij. Althans, in de zomer.

In de winter redden ze het wel zo'n beetje.

Het is steeds moeilijker geworden knechten en dienstmeiden voor het landbouwbedrijf te krijgen. De meesten zoeken hun geluk in de stad. Het hogere loon en het makkelijker werk zijn aanlokkelijk.

Het stadsleven, dat is niets voor hem. Hij moet de vrijheid hebben. Eigen baas zijn. Niemand kan voor hem bepalen wat hij moet doen. Hij bepaalt de maat aller dingen. Hier op de boerderij is hij God almachtig. Hoeveel zijn vrouw ook bidt. Hoe ouder ze wordt, hoe vromer.

Waar blijft dat oude mens trouwens? Zit de halve nacht biddend onder het kruisbeeld en verspilt het dure licht.

Hij moet eens opstaan en poolshoogte nemen.

Met kousen aan en verder alleen in zijn nachthemd en een lange onderbroek schiet hij in zijn sloffen. Sjokt over de stenen van de gang naar de keuken.

De deur van het bijvertrek staat open.

Wat heeft dat nu weer te betekenen? Wat hebben die vrouwen rond deze tijd in de stal te zoeken? Je moet ook overal zelf achteraan.

Geërgerd gaat hij er naar binnen, en vandaar verder, de stal in.

De hele dag door observeert Mich vanuit zijn plekje de bedrijvigheid op de boerderij.

Hij ziet hoe de boer de sporen van de inbraak ontdekt. Het is kinderspel voor hem de oude man uit de weg te gaan.

Die doorzoekt het hele huis. De oude klimt zelfs de zolder op waar Mich zit.

Mich houdt zijn adem in. Met zijn ene hand stevig om het mes in zijn zak, staat hij daar. Achter de schoorsteen. Achter de rug van de boer. Hij zou hem zo bij de schouder kunnen pakken. Danner staat op nog geen meter afstand van hem, op de zoldertrap. Probeert met zijn lamp, een slecht brandend pitje, de duisternis op de zolder te verlichten.

Hij ziet niet het stro dat op de tussenzolder uitgestrooid is en ook niet het touw dat klaar hangt.

Mich wacht de hele dag. Hij heeft de tijd. Hij weet precies waar de bewoners van Tannöd hun geld verstopt hebben. Hij heeft zijn plan tot in alle details uitgedacht.

Als alles gaat zoals hij heeft uitgedacht, kan hij ongezien het huis verlaten. En als het niet zo gaat?

Mich haalt bij die gedachte zijn schouders op, hij schrikt er ook niet voor terug geweld te gebruiken. Geweld hoort bij zijn 'beroep'. Hij ziet wel wat er gebeurt.

Tegen de avond komen er nog twee vreemden op de boerderij. Twee vrouwen, die in de regen op het huis afkomen. Ze kloppen aan. De deur wordt geopend. Na een uur komen beide vrouwen weer naar buiten. Ze nemen afscheid en een van hen gaat terug het huis in.

Hansel Hauer, zoon van Georg Hauer, dertien jaar

Het was op een dinsdag dat mijn tante tegen me zei dat ik eens bij Danner moest gaan kijken.

'Je hoort of ziet niets van ze,' zei ze tegen me. 'Misschien is er iets gebeurd en hebben ze hulp nodig.'

Ik ben erheen gegaan.

Ik denk dat dat zo tegen drieën was. Maar dat weet ik niet zeker meer.

Bij de Danners was niemand op het erf te zien, dus ik heb op de voordeur geklopt. Echt flink geklopt, en ik heb aan de deur gerukt, maar die zat op slot en niemand deed open.

Ik ben om het huis heen gelopen. Ik heb door alle ramen gekeken. Maar ik heb niets gezien. De boerderij leek volkomen verlaten. Alsof er niemand was.

De hond, die heb ik wel gehoord. Hij jankte vreselijk, en in de stal hoorde ik de beesten loeien. Als gekken gingen ze tekeer, de koeien. Maar ik kon niet in de stal komen omdat de deuren vanbinnen afgesloten waren.

Je kunt ook in de stal komen via het machineschuurtje, dat wist ik wel. Dan ga je door de schuur en dan is er linksachter een houten deur naar de stal.

De deur van het machineschuurtje stond zelfs open. Die stond echt wagenwijd open, maar ik durfde niet naar binnen.

Ik ben bij de deur blijven staan en heb geroepen. Ik heb geroepen om Barbara en Marianne. Maar niemand antwoordde, en er naar binnen gaan wilde ik niet. Ik was veel te bang, omdat de beesten zo stonden te loeien en alles zo anders was dan normaal. Zo verlaten.

Ik kreeg er kippenvel van, zo eng vond ik het.

Er deugt hier iets niet, dacht ik aldoor. Het was net alsof er een klok in mijn hoofd luidde. Een alarmklok, zoals wanneer de brandweer uitrukt. Daarom ben ik snel naar huis gegaan en heb het mijn tante en mijn vader verteld.

Vader zei tegen me dat ik Sterzer moest halen, want hij wilde ook niet in zijn eentje naar de boerderij.

Ik ben meteen doorgelopen, naar Sterzer in Obertannöd.

De dochter van Sterzer, Dagmar, was met haar moeder in de tuin. Die waren er aan het werk.

Ik heb al van verre geroepen, omdat ik zo zenuwachtig was. Ik heb geschreeuwd of de baas thuis was, en die kwam meteen de voordeur uit. Ik heb hem gezegd dat er bij de Danners iets niet in orde was. Er is daar niemand thuis en de hond is aan het janken en de beesten staan in de stal vreselijk te loeien. Mijn vader zei dat ik hem moest halen zodat hij samen met mijn vader kon gaan kijken wat er aan de hand was. Want in zijn eentje wil mijn vader er niet heen.

Sterzer heeft meteen Alois geroepen. Lois is de knecht op de boerderij van Sterzer en de verloofde van Dagmar.

Ik ben met de baas en Lois naar Tannöd gegaan, naar de boerderij van Danner.

Even voor we er waren zagen we mijn vader. Die heeft op Sterzer staan wachten. Samen met ons is hij verder gegaan naar Danner.

Daar hebben we ze toen gevonden.

Ik niet, want vader wilde niet dat ik mee het huis in ging. Ik moest buiten blijven wachten.

Toen Sterzer en Lois doodsbleek de schuur uit kwamen, was ik blij dat ik niet mee naar binnen was geweest.

Vader zei tegen me dat ik naar het dorp moest, 'bij de burgemeester moeten ze de politie bellen'. Dat heb ik ook gedaan. Ik heb mijn fiets gehaald en ben naar het dorp gereden, naar de burgemeester, en ik heb geschreeuwd dat ze bij Danner allemaal dood waren. Dat ze allemaal waren vermoord. Ik heb ze allemaal in het gezicht staan schreeuwen, zelfs de burgemeester.

Johann Sterzer, boer in Obertannöd, tweeënvijftig jaar

Ik zat in de kamer. Ik zag door het raam Hansl al aan komen rennen. Hij zwaaide met zijn armen en bleef maar schreeuwen.

Ik dacht meteen al dat er iets was gebeurd. Maar ik meende dat er bij Hauer iets aan de hand was.

Daarom ben ik hem meteen tegemoet gelopen. Hansl zei tegen me: 'Vader heeft me gestuurd omdat er bij Danner geen mens meer te zien is.'

Hij, Hansl, was vandaag al op de boerderij wezen kijken en er was niemand thuis en de hond jankte zo vreselijk. De beesten waren ook heel onrustig.

'Maar vader wil niet in zijn eentje gaan kijken,' zei hij tegen me. Ik heb Alois geroepen en we zijn samen met Hansl naar de Tannöd gegaan.

Mij was het ook al opgevallen dat er daar geen beweging meer te zien was. Toen ik zaterdag aan het ploegen was, op de akker die aan de grond van Danner grenst, heb ik ook de hele tijd niemand gezien.

Dat was wel vreemd, maar ik heb me er verder niet het hoofd over gebroken.

Die zijn met de houtkap bezig, heb ik gedacht.

Vlak bij het huis stond Hauer op ons te wachten. We zijn met zijn allen naar de boerderij gelopen. Ik zag meteen dat de deur naar het machineschuurtje openstond.

Hauer weet de weg op die boerderij, sinds die affaire met Barbara. Hij was er kind aan huis.

'Door het schuurtje kunnen we in de grote schuur komen. Daar is een deur naar de stal en van de stal kom je in het huis,' zei hij tegen ons, tegen Lois en mij.

Tegen Hansl zei hij dat die maar beter even buiten kon wachten. Wij vonden het best en we zijn met zijn drieën het schuurtje binnen gegaan. Daar zat inderdaad een deurtje. In de achterwand van het schuurtje, maar het was vanbinnen met een haakje afgesloten.

Ik wilde alweer naar buiten gaan en proberen of er geen andere weg naar binnen was.

Maar Hauer pakte me bij mijn mouw en zei: 'Die deur is zo gammel, die duwen we gewoon in.'

Lois ging akkoord en we hebben met zijn drieën tegen de deur staan duwen.

De deur gaf snel mee en we zijn de grote schuur binnen gegaan.

Daar was het behoorlijk donker. Alleen door een open deur aan de linkerkant van de schuur viel er een beetje daglicht binnen. Rechts was het hooi opgestapeld en de andere voedervoorraden, tegen de achterwand en links lagen overal hopen stro. Maar we konden in de donkere ruimte niet echt iets onderscheiden. Meer vermoeden.

Het brullen van de beesten vanuit de stal werd steeds sterker. 'Daar staat een koe!' Hauer zag haar als eerste. De koe stond midden in de deuropening.

'Kom, we moeten verder, die heeft zich losgerukt.'

Hauer liep naar de koe in de deur. Ik was nog helemaal niet gewend aan de duisternis in de schuur. Ik vond het eng, ik wilde daarom ook niet alleen achterblijven. Daarom ben ik achter Hauer aan gelopen. Lois verging het kennelijk niet anders. Maar toen hij achter Hauer aan wilde, struikelde hij. Hij kon nog net overeind blijven.

Ik wilde al tegen Lois zeggen dat hij goed uit moest kijken waar hij liep, toen ik in het stro een voet zag.

Lois greep me bij mijn arm. Hij klampte zich aan me vast. We stonden daar met zijn beiden maar naar die hoop stro te staren. Geen van ons, Lois noch ik, heeft zich verroerd. We stonden daar maar.

Mijn hart ging zo tekeer dat ik dacht dat het elk ogenblik uit mijn borst kon barsten. De bodem onder mijn voeten begon te bewegen, zo week werden mijn knieën. Ik heb me uit alle macht aan Lois vastgegrepen en hij aan mij.

Alles was zo onvoorstelbaar, zo ontzettend.

Hauer schoof het stro opzij. De ene na de andere heeft hij van het stro ontdaan. Danner, de kleine Marianne, haar grootmoeder, en helemaal op het eind ook nog Barbara. Ze zaten allemaal totaal onder het bloed, ik gruwde er zo van dat ik niet echt naar hen kon kijken.

Alles om me heen was afgrijselijk. Als in een nachtmerrie. Alsof Trud op je zit en je de adem beneemt. Ik wilde naar buiten, weg van die plek, weg.

Toen ik me omdraaide, versperde Hauer me de weg.

'We moeten nog kijken wat er met Josef is gebeurd,' schreeuwde hij me in mijn gezicht. Maar ik duwde hem opzij. Hauer probeerde me nog vast te pakken. 'We moeten kijken wat er met Josef is gebeurd. Waar is de jongen? Waar is Josef?'

Maar ik heb hem gewoon laten staan en ben naar buiten gerend. Om frisse lucht te krijgen.

Buiten zag ik Lois voor het machineschuurtje staan. Hij was helemaal bleek weggetrokken. Hij kon zich niet meer op de been houden. Bij het schuurtje heeft hij zich met zijn rug tegen de muur op de grond laten zakken. Ik ben naast hem gaan zitten.

Maar Hauer, die ons uit de schuur achterna was gekomen, bleef aandringen. We moesten proberen vanuit de schuur het huis binnen te komen. Ik kon niet meer, ik was aan het eind van mijn krachten en trilde over mijn hele lijf. Ik voelde me zo verschrikkelijk beroerd.

Hauer liet niet los. Hij bleef aandringen en zette ons vreselijk onder druk.

'We moeten het huis in. We moeten kijken wat er is gebeurd.' Dat zei hij steeds weer. Maar Lois en ik bleven op de grond zitten. Hauer is ten slotte alleen teruggegaan, de schuur in.

Van daaruit, heeft hij ons later verteld, is hij door de stal naar het woonhuis gegaan.

Na een paar minuten hoorden we hoe de buitendeuren van het huis werden ontgrendeld.

Intussen hadden wij onszelf weer zo in de hand dat we in staat waren op te staan.

Hauer riep ons opnieuw op mee het huis in te gaan. En omdat we nu niet meer door de schuur hoefden, langs de doden, gaven we uiteindelijk toe en gingen met hem mee naar binnen.

Op de keukentafel stond nog een glas. Alles leek erop te wijzen dat het vertrek pas was verlaten. Alsof er zo weer iemand het vertrek binnen kon komen.

We hebben in het vertrek rondgekeken. De deur naar de aangrenzende kamer stond op een kier. Hauer opende de deur helemaal. Half afgedekt door een veren dekbed vonden we het levenloze lichaam van een vrouw. Om haar heen zat alles onder het bloed.

Ik kende die vrouw niet, ik had haar nooit eerder in mijn leven gezien.

Weer drong Hauer aan om de andere vertrekken in het huis te controleren.

In de slaapkamer vonden we ten slotte de kleine Josef in zijn bedje. Ook hij was dood.

Alois Huber, vijfentwintig jaar

Wie weet, als ik niet gestruikeld was, hadden we ze misschien helemaal niet zo snel gevonden. In de grote schuur was bijna geen licht. Het daglicht dat door de open staldeur naar binnen viel, was niet voldoende om de ruimte veel lichter te maken.

Eerst dacht ik nog, ik ben over een stok gestruikeld, een stuk hout, een flink voorwerp. Het duurde even voordat ik het doorhad.

De boer en ik, we stonden maar te kijken. Als Hauer er niet bij was geweest, als hij het stro niet opzij had geschoven ... Ik denk dat we er dan eeuwig zouden hebben gestaan, gewoon daar gestaan, niet in staat ons te bewegen.

Toen ik de dode lichamen zag, werd ik hondsberoerd.

Niet dat ik makkelijk uit mijn evenwicht te brengen ben. In de oorlog heb ik meer dan genoeg gezien, dat kunt u van me aannemen. Iedereen die in de oorlog is geweest, heeft genoeg doden gezien, genoeg voor een heel leven.

Maar zoals deze toegetakeld waren.

Ik heb ze allemaal gekend, het waren geen vreemden voor mij, het waren mensen met wie je dagelijks omgang had.

Ik heb ze niet goed kunnen bekijken. Ik ben uit de schuur gelopen en heb bij het machineschuurtje staan overgeven.

Bij alles wat er verder gebeurde leek de wereld om me heen stil te staan. Het enige wat ik nog voelde, was die afschuw, die gruwel. Wie dat heeft gedaan, kan toch geen mens zijn? Dat is een duivel. Het kan niemand hier uit de buurt zijn, bij ons leeft niet dat soort monsters.

Als Hauer niet zo had aangedrongen en ons had opgejaagd, zou ik nooit het huis binnen zijn gegaan om de anderen te zoeken. Nooit van mijn leven.

Hauer heeft ons steeds weer aangespoord. We zijn hem als lammetjes op weg naar de slachtbank gevolgd. Hij heeft zich al die tijd weten te beheersen, ongelooflijk bijna. Die hield zijn hoofd er beter bij dan wij, Sterzer en ik. Hij was heel beheerst, bezonnen bij alles wat hij deed. Terwijl hij Danner en zijn gezin het beste kende. Hij was bijna zoiets als een schoonzoon. Hij was toch de vader van de kleine Josef.

Ik had mezelf in zijn positie nooit zo in de hand gehad. Hij is al die tijd zijn zenuwen de baas gebleven. Ik heb hem zelfs een beetje bewonderd, zo beheerst was hij. Bijna koelbloedig.

Ook ik heb wel het een en ander in mijn leven meegemaakt, indertijd onder Adolf, toen hebben ze ons jongens met vijftien jaar opgeroepen voor de dienst. Ze hebben ons in een uniform gestoken, een geweer in de hand gedrukt en gezegd dat we op de vijand moesten schieten. Op de vijand. Laat me niet lachen. De vijand, dat waren oude mannen en vrouwen met kinderen, en daar had ik op moeten schieten.

Ik was gestationeerd in Regensburg en de Amerikanen hadden de hele stad al omsingeld. In die dagen luidde het parool: verdedigen tot de laatste man. Liever dood dan in handen van de vijand vallen. Wat een onzin, het was allang een verloren zaak.

Er trok een groep oude mannen en vrouwen met hun kinderen door de stad. Ze wilden dat de stad zich zonder verder bloedvergieten zou overgeven. Alleen maar oude mannen, vrouwen en kinderen waren het, de jonge mannen waren aan het front of in gevangenschap.

De hoge heren van de partij waren al bezig een goed heenkomen te zoeken. Laffe honden waren het, je moest ze nog helpen bij het koffers pakken.

Ze wilden er snel vandoor, die heren. Ons, vijftienjarige kinderen, hebben ze de straat op gestuurd. We moesten op de protesterende mensen schieten. We hadden moeten schieten op de oude mannen, de vrouwen en de kinderen.

Ik ben ’m in de chaos gesmeerd. Heb mijn geweer weggegooid en ben naar de Donau gegaan. Daar heb ik me verstopt in de kelder van een uitgebrand huis. ’s Avonds ben ik in het donker de rivier overgezwommen. Ik kan goed zwemmen.

Ik ben toen echt bang geweest. Alleen maar bang. Bang voor mijn leven.

Ik dacht dat het het ergste was wat ik in mijn leven moest meemaken.

Aan de overkant van de Donau, in Walch, heeft een oude vrouw me drie dagen lang een schuilplaats gegeven. Ze had zelf helemaal niets meer. Heeft me verborgen tot de Amerikanen de stad in kwamen.

Ze heeft me nog oude kleren van haar overleden man gegeven.

Ik droeg nog het legeruniform, en als de Amerikanen me daarmee hadden gesnapt, hadden ze me gevangengenomen. De nazi’s hadden me meteen doodgeschoten of opgehangen, als landverrader, als deserteur.

Vanuit Walch ben ik te voet naar huis gegaan. Ik heb er bijna een week over gedaan thuis te komen. Het hele land leek na de ineenstorting onderweg te zijn. Haveloze mensen heb ik gezien, doden, gehangenen.

Maar zo’n gruwel als op die boerderij is onbeschrijflijk. Zo bestiaal als die afgeslacht waren.

Wat kan dat voor man zijn geweest, een monster, een gek?

Maar vertel me eens, waarom ook die kinderen? Waarom die arme drommels, vraag ik u. Waarom?

Gij, die de sjacheraars aan het kruis hebt verhoord,
wij smeken U, verhoor ons!
Gij, die de uitverkorenen uit erbarmen gelukkig maakt,
wij smeken U, verhoor ons!
Gij, die de sleutel van de dood en de hel bezit,
wij smeken U, verhoor ons!
Gij, die onze ouders, familieleden en weldoeners wilde bevrijden van de straf van het vagevuur,
wij smeken U, verhoor ons!
Dat U erbarmen wilde tonen jegens de zielen aan wie niemand op aarde denkt,
wij smeken U, verhoor ons!
Dat U hen allen wilde sparen en vergeven,
wij smeken U, verhoor ons!
Dat U aan hun verlangen naar U weldra wilde voldoen,
wij smeken U, verhoor ons!
Dat U hen in het gezelschap van Uw uitverkorenen wilde opnemen en voor eeuwig gelukkig maken,
wij smeken U, verhoor ons!

Het vertrek is in gedempt licht gehuld.

Hij kan niet zeggen of de gordijnen open of gesloten zijn. Hij ziet het vertrek voor zich, gehuld in een schemerachtig wit. Als door een flinterdunne sluier.

Hij ziet de meubels in het vertrek. De commode van donkerbruin eikenhout, zwaar met zijn drie schuifladen. Elke la heeft twee koperen handvatten. Die zijn door het gebruik dof geworden. Je moet de laden aan beide handvatten tegelijk pakken, anders gaan ze niet open. Het zijn zware laden.

Boven de commode een schilderij. Een engelbewaarder, die twee kinderen over een smalle houten brug leidt. De kinderen lopen hand in hand. Een jongen en een meisje. Onder de brug, aan de rand van het schilderij, een woest kolkende beek. De engelbewaarder is in een wit golvend gewaad gekleed. Spreidt zijn armen beschermend over de kinderen uit. Blootsvoets leidt hij hen over de wilde beek. Op de achtergrond de contouren van een bergketen. Op de toppen van de bergen ligt witte sneeuw.

De lijst van het schilderij is verguld, op sommige plekken begint het goud af te bladderen. Daaronder de witte verf van de grondlaag.

Hij weet dat aan de andere kant van de kamer het bed staat. Daarnaast het nachtkastje.

Beide van hetzelfde donkerbruine eikenhout.

Op het nachtkastje staat een sterfkruis met links en rechts ervan een kandelaar. De kaarsen branden.

Op het bed ligt een meisje. Bijna een kind nog. Haar ogen zijn gesloten. Het gezicht van een transparant soort bleekheid. Haar haren, in vlechten, reiken tot ver over haar schouders. Om haar hoofd een krans van mirte.

Haar handen op haar borst, gevouwen. Tussen de gevouwen handen heeft iemand, misschien zijn vrouw of de aflegster, een sterfkruis gestoken.

Het meisje is gekleed in een wit kleed. Witte kousen. Aan haar voeten zitten witte kousen. Geen schoenen. Haar gestalte lijkt zich langzaam op te lossen in het licht dat in het vertrek hangt.

'Kijk, ze is een engel geworden.'

Hij hoort de stem van een vrouw, zijn vrouw? Voelt hoe hij steeds moeilijker slikt. Voelt hoe de misselijkheid langzaam in hem omhoogkruipt.

'Ze is een engel geworden. Ziet ze er niet prachtig uit?'

Braakneigingen benemen hem bijna de lucht om te ademen.

Hij draait zich om en rent naar de deur.

Hij rukt de deur bijna uit zijn scharnieren, lijkt het wel. Haast zich de trap af. Hij wil weg. Weg over de weiden en de velden naar het bos.

Daar laat hij zich vallen. Hij ligt met zijn gezicht op het koele mos. Met elke ademhaling kan hij de koude, grondERige geur van het bos ruiken. Diep vanuit zijn binnenste maakt zich een schreeuw los. De schreeuw zoekt met geweld een uitweg naar buiten. Hij schreeuwt zijn wanhoop uit. De schreeuw heeft niets menselijks meer, als een dodelijk gewond dier schreeuwt hij zijn wanhoop uit.

Door die schreeuw ontwaakt hij. Badend in het zweet zit hij rechtop in bed.

De droom herhaalt zich. Elke nacht weer. Soms ligt zijn vrouw dood op het bed. Op andere dagen ligt het meisje er, of de kleine jongen.

Hij staat op, loopt naar het raam en blikt de koude nacht in.

Maria Sterzer, boerin in Obertannöd, tweeënveertig jaar

In wat voor toestand mijn man en Lois op onze boerderij zijn teruggekeerd, hoefden ze me helemaal niet te vertellen. Ik zag al van verre aan hun manier van lopen dat er iets verschrikkelijks moest zijn gebeurd. En toen ze hier in de kamer zaten, bleek als een doek, wist ik het zeker. Je kon het aan hun gezichten aflezen, de gruwel. De eerste nachten is mijn man steeds weer uit de slaap opgeschrikt. De aanblik van de doden heeft hem niet met rust gelaten.

Niemand kan zich voorstellen dat zoiets bij ons hier op het platteland gebeurt. Maar dat Danner niet in zijn bed gestorven is, daar verbaas ik me niet al te zeer over.

Over de doden niets dan goeds en daarom praat ik ook niet graag over doden. Weet u, we leven hier in een klein dorp. Er wordt hier over het minste of geringste gekletst en geroddeld, dan kun je maar beter je mond houden.

Ik zeg alleen maar dat ik ze nooit heb gemogen, de mensen op die boerderij.

Vreemde vogels waren dat, vooral de oude man was geen goed mens. Je voelde je bij hen niet prettig en ik wilde me ook niet prettig bij hen voelen. Sinds de kwestie met Amelie heb ik zelfs niet meer met ze gepraat.

Amelie, dat was een heel aardige vrouw. Die werkte als dwangarbeidster op de boerderij van Danner. Dat was nog in de oorlog. Toen hebben ze krijgsgevangenen en alle mogelijke andere mensen op de boerderijen laten werken als dwangarbeider. Wij hadden iemand uit Frankrijk, Pierre.

De mannen waren allemaal aan het front, behalve Danner, die is er op de een of andere manier in geslaagd niet opgeroepen te worden. Die had in die dagen gewoon een speciale band met de mensen van de partij.

Mijn man zat bij de weermacht en daarom kregen wij Pierre. Danner kreeg Amelie.

Hoe je met dwangarbeiders moest omgaan, daarvoor bestonden gedetailleerde voorschriften. Maar daar heb ik me niet aan gehouden. Pierre heeft bij ons op de boerderij gewerkt, ik in mijn eentje met de kleine kinderen en mijn schoonmoeder, God hebbe haar ziel, had het werk op de boerderij nooit afgekund.

Mijn man was aan het front en later in gevangenschap. Hij is pas in 1947 teruggekomen. Godzijdank is hij teruggekomen.

Pierre werkte graag in de landbouw. Hij was ook van een boerderij afkomstig. Zonder hem was alles spaak gelopen, die heeft geploeterd alsof het zijn eigen boerderij was. We konden goed met hem opschieten. Zelf hadden we ook niet veel, maar het weinige dat we hadden, hebben we met hem gedeeld.

Als iemand zo hard werkt, moet je hem ook fatsoenlijk behandelen. Het is toch ook een mens, geen dier. Dat heb ik ook tegen de burgemeester gezegd, recht in zijn gezicht, toen die me een waarschuwing wilde geven.

Hij zei alleen maar: 'Vrouw Sterzer, wees voorzichtig, er zijn mensen voor minder opgehangen.'

Ik heb zelfs een anonieme brief gekregen. Daarin dreigden ze me aan te geven. Maar ik heb gedaan wat ik juist vond. Ik heb me niet klein laten krijgen.

Met Amelie is het niet goed gegaan. Ze is bij Danner helemaal niet goed behandeld. Ze kreeg bij die oude vrek nauwelijks iets te eten en ze heeft als een paard moeten werken.

Terwijl ze een breekbaar vrouwtje was. Ze wist ook niets van het leven op een boerderij. Ze kwam uit een stad in Polen, Warschau, geloof ik. Maar dat weet ik niet meer zo goed.

Ik had verschrikkelijk met haar te doen, dat arme mens. Pierre zei dat Danner Amelie achter de rokken zat. Hij schijnt haar achtervolgd en lastiggevallen te hebben, haar zelfs te lijf te zijn gegaan. Ze heeft Pierre haar blauwe plekken laten zien en ze heeft gehuild.

Op een keer schijnt Danner haar zelfs op het erf met de karwats te hebben geslagen. Alleen omdat ze niet wilde wat hij wilde. Ze had bloedige striemen op haar lichaam.

En denk je dat vrouw Danner haar geholpen heeft? Die heeft niets gezegd. Integendeel, ze heeft Amelie zo veel mogelijk getreiterd en gepest.

Het zal wel zo zijn dat als iemand zijn hele leven lang wordt vertrapt, hij ook gaat vertrappen zodra de gelegenheid zich voordoet.

Amelie heeft het op de boerderij niet langer kunnen uithouden. Weglopen kon ze niet, toen heeft ze zich verhangen. Arme meid. Ze heeft zich in de schuur verhangen. In de schuur, waar ze nu Danner en de zijnen hebben gevonden.

Dat is wel raar.

Danner heeft later alles in de doofpot gestopt, geholpen door de burgemeester.

Pierre was gesteld op Amelie. Hij heeft haar soms stiekem wat te eten gegeven. Veel konden wij ook niet missen. Maar wel een homp brood, een beetje fruit en groente en af en toe een stukje worst. Dat heeft hij haar allemaal stiekem gegeven. Op een keer, toen ze het bijna niet meer kon uithouden, heeft ze Pierre verteld van haar broer. Die zou haar zeker gaan zoeken als de oorlog voorbij was. Ze zou dan weleens een boekje opendoen over Danner. Zou hem vertellen hoe slecht ze door hen op de boerderij behandeld was en hoe de oude Danner haar voortdurend achter de vodden zat en haar lastigviel. Dingen van haar wilde die ze Pierre helemaal niet kon vertellen. Ze bleef maar huilen en huilen, ze kon niet meer tot bedaren komen. Zo heeft Pierre het mij verteld.

Ik wist niet of Pierre toen alles goed begrepen heeft, want Pierre sprak alleen Frans en heel gebrekkig Duits.

Maar ik moet er steeds weer aan denken sinds ze de doden hebben gevonden. Uitgerekend in de grote schuur. Wie weet is de broer van Amelie wel opgedoken en heeft hij wraak genomen op Danner.

Hij zou niet de eerste zijn. Er zijn wel meer mensen geweest die wraak hebben genomen op hun beulen. Stiekem, via via, hoor je daar telkens weer over. Er hebben ook hier heel wat mensen boter op hun hoofd. Slechte tijden kennen nu eenmaal ook veel slechte mensen.

Franz-Xavier Meier, burgemeester, zevenenveertig jaar

Zo tegen vijven is Hansl Hauer bij me gekomen. Hij was volkomen over zijn toeren.

Bij Danner zijn ze allemaal doodgeslagen, schreeuwde hij. Allemaal morsdood. Dat riep hij steeds weer: 'Ze zijn allemaal doodgeslagen. Ze zijn allemaal dood.'

Ik moest meteen de politie bellen. Wat ik uiteraard onmiddellijk heb gedaan.

Ik ben met Hansl in de auto naar de hoeve van de familie Danner gereden. Daar trof ik Georg Hauer aan, de vader van Hansl, en Johann Sterzer en Alois Huber, de toekomstige schoonzoon van Sterzer, die als knecht bij hem werkt.

Na een kort gesprek met de drie aanwezigen heb ik afgezien van een bezichtiging van de plek van de misdaad.

Even later was de politie al ter plekke en vond ik mijn aanwezigheid niet langer noodzakelijk. Meer kan ik niet zeggen ter opheldering van die huiveringwekkende misdaad.

Natuurlijk was ik geschokt, dat staat buiten kijf. Maar het is de taak van de bevoegde autoriteiten, in dit geval van de politie en niet van mij, het gebeurde op te lossen.

Ik heb dat in bijna gelijke bewoordingen ook aan de journalist van de krant gezegd.

Ach, komt u mij niet óók aan met dat verhaal over de dwangarbeidster. Ik kan daar niets over zeggen. Het dossier over dat voorval is in 1945 helaas zoekgeraakt. Mijn ambtsvoorganger zou u er meer over kunnen vertellen, als hij nog had geleefd.

Ik zat in die tijd in Franse krijgsgevangenschap.

Toen in april 1945 de Amerikanen ons kwamen bevrijden, was ik nog niet thuis. Ze hebben het huis van de toenmalige burgemeester en het raadhuis in beslag genomen. Ze hebben daarin tijdelijk hun kwartier gemaakt. Toen ze weer vertrokken, waren huis en gebouw verwoest.

Ze zijn als vandalen tekeergegaan. In de tuin hebben ze met hun pistolen op porseleinen borden geschoten. Dat noemden ze *tap shooting*. Stelt u zich dat eens voor. Na hun vertrek was alles verwoest of onbruikbaar geraakt. Het weinige wat nog bruikbaar was, hebben die heren meegenomen.

De meeste dossiers uit de tijd voor de ineenstorting waren bijgevolg vernietigd. We hebben daardoor enorm veel schade geleden. Dat kunt u van me aannemen.

Om die reden kan ik u niet veel vertellen over de omstandigheden die tot de dood van de dwangarbeidster hebben geleid.

Naar mijn weten heeft de arbeidster die bij de Danners verplicht te werk was gesteld, zich opgehangen. Ze is hier ter plaatse begraven.

Er waren overal dwangarbeiders. Ook in Frankrijk werden wij, krijgsgevangenen, te werk gesteld.

Denkt u soms dat wij altijd goed behandeld zijn? En ik heb me toch ook niet opgehangen?

Ik begrijp ook helemaal niet wat dat met de afschuwelijke misdaad tegen de familie Danner te maken heeft. Het is een poging oude koeien uit de sloot te halen. Weet u, er zijn mensen die dit soort verhalen niet kunnen laten rusten. De oorlog is nu tien jaar voorbij. Laten we die verhalen nu eindelijk eens achter ons laten. Het was indertijd allemaal al erg genoeg.

We hebben allemaal geleden. Iedereen heeft zijn eigen lot te dragen, maar de wereld draait door. De tijden veranderen. Het heeft helemaal geen zin erover na te denken wat er gebeurd zou zijn áls. Dat heeft echt geen zin.

Natuurlijk zijn er onrechtvaardige dingen gebeurd, natuurlijk waren er momenten van wanhoop. Die heeft ieder van ons gekend. Maar de oorlog is voorbij. Bijna tien jaar voorbij nu, we moeten eens gaan vergeten.

Ik heb zelf in krijgsgevangenschap gezeten. Gelooft u me, zo eenvoudig was dat niet. Ik heb geluk gehad, ik kon al vrij snel na de oorlog naar huis. Anderen was een minder gelukkig lot beschoren, maar wat kunnen wij daaraan doen? Wat geweest is, is geweest.

Er zijn nog genoeg andere problemen. Langzaam gaat het weer beter. U leest toch wel de krant?

Kijk eens naar de toestand in de wereld. Op het ogenblik is de situatie na de beëindiging van de oorlog in Korea iets meer ontspannen geraakt. Onze angst voor een nieuwe oorlog is op het ogenblik bezworen. Maar ik zeg u dat de communisten in Rusland ons niet met rust zullen laten. U gelooft toch niet dat die Chroesjtsjov beter is dan zijn voorganger!

Goed, de laatste krijgsgevangenen keren nu naar huis terug. Eindelijk, na bijna tien jaar, maar dat verandert niets, helemaal niets aan het latente gevaar uit het oosten. Om die reden was het voor ons zo belangrijk de verdragen van Parijs te ondertekenen.

We moeten een tegenpool vormen. Ook en juist omdat de wereld na de oorlog veranderd is.

Dit hoofdstuk is nu, mag ik hopen, definitief ad acta gelegd.

Draaft u toch niet achter elk kletsverhaal aan. Ik vermoed wel uit welke hoek u daarover hebt horen vertellen.

En of het gedrag van juist die mensen altijd zo onberispelijk is geweest dat ze met hun vingertje naar anderen mogen wijzen? Ik wil daar geen oordeel over uitspreken, maar je hoort zo het een en ander.

Als de echtgenoot aan het front is en zijn vaderland verdedigt, valt zijn eigen vrouw hem in de rug aan en begint een verhouding met een Fransman. De echtgenoot zet zich met gevaar voor eigen leven voor het vaderland in en zij verbroedert zich met de vijand.

Een vijand blijft altijd een vijand, luidde vroeger al het parool, en de juistheid van die uitspraak kan niet altijd van de hand gewezen worden.

Hou toch op. Eerzame medeburgers worden in diskrediet gebracht en een hele dorpsgemeenschap wordt schade berokkend. Alleen omdat een halfjoodse Poolse vrouw zich heeft verhangen. Die meid was gewoon labiel.

Ik vind het heel raar wanneer er na zo lange tijd geforceerd verbanden worden gelegd. Daarmee komen we geen stap verder. We kunnen ons beter aan de feiten houden. Speculaties van welke aard ook leveren niets op.

Juist bij zo'n afschuwwekkende daad, en als u me nu wilt verontschuldigen ...

O koning der heerlijkheid,
O zoon Gods, Jezus Christus,
O Lam Gods, dat wegneemt de zonden der wereld,
geef hun rust!
O Lam Gods, dat wegneemt de zonden der wereld,
geef hun rust!
O Lam Gods, dat wegneemt de zonden der wereld,
geef hun de eeuwige rust!

Anna Hierl, voorheen dienstmeid op de boerderij van Danner, vierentwintig jaar

Ik heb het wel zien aankomen. Verrast? Nee, verrast was ik niet. Geschokt wel, ik heb ze allemaal gekend en een tijdlang met hen onder één dak gewoond. Maar verrast, nee, verrast heeft het me niet. Ik heb altijd wel met zoiets rekening gehouden.

Weet u, de oude Danner heeft tijdens de oogst graag landlopers in dienst genomen.

Waarom? Nou ja, die hoefde hij niet zoveel te betalen. Dat is nogal eenvoudig. Iemand die iets op zijn kerfstok heeft en niet graag met de politie in aanraking komt, kun je ook makkelijk wat minder loon geven.

Zo iemand is allang blij dat hij een dak boven zijn hoofd heeft en iets warms om te eten. En Danner was blij omdat hij bijna niets hoefde te betalen. Zo was hij nu eenmaal, de oude Danner. Boerenslimheid en gierigheid gingen bij hem hand in hand.

De oude Danner heeft zo'n lanterfanter en zwerver wel eens zijn hele boerderij laten zien. Daar kan ik met mijn pet niet bij. Hij gaf hem gewoon een rondleiding. Hij paradeerde als een haan, opgezette borst en kaarsrechte gang, alsof hij een stok had ingeslikt.

Met die vagebonden is hij door het huis en over het erf gegaan.

Hij heeft hun alle machines laten zien, dan hoef je je niet te verbazen als zo iemand na een paar dagen verdwijnt en meteen maar het een en ander van de huisraad meeneemt.

Ik vergrendelde mijn kamer altijd als er weer zo'n gehaaide bliksem op de boerderij was.

Op een keer was er weer zo iemand op het erf. Hij heette geloof ik Karl. Ja, Karl, ik weet het zeker. Geen van die gasten noemde graag zijn achternaam.

U kunt zelf wel bedenken waarom.

Karl, die hielp de oude Danner met de houtkap in het bos.

Dat was meteen na het vreselijke noodweer in juli vorig jaar.

De door de storm geknakte bomen hebben ze eruit gehaald. Geen makkelijke klus. Menigeen is al door een boom geveld of heeft een been verloren. De bomen liggen na zulk weer vaak kriskras door elkaar. Sommige staan zo onder spanning, dat ze echt 'knappen' als ze vallen.

Na nog geen week was Karl met de noorderzon vertrokken. Spoorloos verdwenen, en er waren ook meteen een paar kippen, kleren en schoenen weg.

Later in het jaar probeerde iemand op de boerderij in te breken, en toen had ik er genoeg van. Ik heb een nieuwe baan gezocht.

Wat er toen is gebeurd? Ik was die dag niet op de boerderij, Barbara, de dochter van Danner, heeft het me de volgende dag verteld. Ik was bij mijn tante in Endlfeld. Op ziekenbezoek.

Het was op een zondag, moet je nagaan, op een zondag. Terwijl godvrezende mensen in de kerk zitten. Op die zondag ben ik meteen na de mis naar mijn tante gegaan. Vrouw Spangler en haar gezin zijn na de mis nog op het kerkhof geweest en daarna naar huis gegaan.

Toen ze door de voordeur naar binnen wilden, zagen ze dat iemand de voordeur had geprobeerd te forceren. De sporen van een inbraakpoging kon je duidelijk aan de houten deur zien, overal krassen. Als van een breekijzer. Een wonder dat de smeerlap de deur niet open gekregen heeft.

Kennelijk is hij tijdens zijn poging gestoord en heeft hij zijn hielen gelicht. Zo snel mogelijk ervandoor.

Het heeft me niks verbaasd, want elke smeerlap die op de boerderij heeft gewerkt, wist heel goed dat er bij de Danners wat te halen viel.

Niet alleen kippen. Hij had altijd een bom duiten in huis. Dat was een publiek geheim. Dat wist iedereen die ooit op de boerderij heeft gewerkt.

Zoals ik al zei, vanaf dat tijdstip heb ik me op de boerderij niet meer veilig gevoeld.

Ik was bang dat de inbreker het nogmaals zou proberen, en dan misschien 's nachts. Je hoort toch dagelijks dat soort dingen?

De boerderij, die ligt volkomen geïsoleerd. Echt eenzaam.

Ik wilde daarom onder geen beding daar in de winter nog zijn. Dan begint het om halfvier al te schemeren en om vier uur is het donker. Dan ziet en hoort niemand meer iets. Ik heb mijn spullen gepakt en ben gegaan. Ik had meteen weer een nieuwe baan.

Als ik toen niet weg was gegaan, wie weet was ik nu ook dood geweest. Nee, mij niet gezien. Ik wil nog een hele tijd verder leven, ik leef veel te graag.

Ik kon met Danner en zijn gezin wel overweg. Ik ken natuurlijk de geruchten over hen. Het was een vreemde vogel. Zeggen de mensen. Hij en zijn hele gezin.

Kan best zo zijn, maar ik kon wel met hen opschieten. Ik heb mijn werk gedaan en op mijn vrije dagen ben ik wezen dansen of ik ben op familiebezoek geweest.

Werk is werk. Je moet overal werken. Je krijgt niet betaald als je luiwammest. Als dienstmeid moet je van wanten weten en ik doe mijn werk graag. Maar als ik vrij heb, maak ik dat ik wegkom.

Danner heeft me nooit lastiggevallen. Ik had mijn mannetje wel gestaan, geloof dat maar. Ik laat me niets aanleunen.

Hoe de verhouding was tussen Danner en zijn dochter, vrouw Spangler?

Ik weet meteen waar u naartoe wilt.

Ik kan er niets over zeggen, maar ik heb me er ook niet mee beziggehouden, en zo lang ben ik ook niet op de boerderij geweest, van de lente tot de herfst.

Of vrouw Spangler bij haar vader op de slaapkamer heeft geslapen, zoals wel beweerd wordt? Daar kan ik geen eed op doen.

De mensen kletsen zoveel. Ik kan alleen maar zeggen wat ik heb gezien. En gezien heb ik die twee samen maar één keer, in de grote schuur. En zelfs dat weet ik niet zeker.

Ik ging erbinnen en zag beiden in het hooi liggen. Ik was nog niet binnen, of Barbara sprong overeind. Als ze niet was opgesprongen, had ik haar helemaal niet gezien.

Ik deed alsof ik niets gemerkt had, en ik heb ook niets gezien. Niets bijzonders, in elk geval.

Weet u, het is mijn zaak niet. Ik ben toch geen pastoor of rechter? Wat gaat het mij aan?

Barbara vond het allemaal nogal pijnlijk en ze zei dat als ze had geweten dat ik nogmaals in de schuur zou komen, ze er niet heen was gegaan.

Of ik geloof dat de kinderen van haar vader zijn? Nou zeg, dat zijn me nogal vragen!

Als ik eerlijk ben, ik geloof van wel, maar zeker weten doe ik het natuurlijk niet. Ik ben er niet bij geweest. Maar ik heb met mijn eigen oren gehoord hoe Danner tegen landloper Karl zei dat zijn dochter geen man nodig had. Ze had hem toch.

Omdat Karl naar de man van vrouw Spangler had gevraagd. Waar hing die uit? Misschien heeft die ergens op gerekend bij Barbara. Maar hij is van een koude kermis thuisgekomen.

Ze zag er keurig uit, die Barbara, maar ze was ook trots.

Precies als haar vader.

De moeder van haar, die zei nooit veel.

Sommigen zeggen dat ze altijd slechtgehumeurd was. Maar dat klopt niet. Verbitterd en teleurgesteld in het leven was ze.

Ze wijdde zich helemaal aan haar kleinkinderen en ze kookte. 's Avonds zat ze altijd in de kamer met haar gebedenboek in haar hand. Zo'n oud ding, hing helemaal uit elkaar. Daar zat ze altijd mee in de hand, en dan mompelde ze wat voor zich uit.

Maar één keer, toen heeft de oude vrouw Danner me verteld dat de man van haar dochter een echte flierefluiter was en naar Amerika was geëmigreerd.

Het geld voor de overtocht had hij van de oude Danner gekregen. Ik weet nog hoe verbaasd ik erover was dat de oude vrouw me dat vertelde, omdat ze anders bijna nooit iets zei.

Ze zat daar op haar stoel en begon plotseling zomaar te vertellen. In het begin had ik niet eens door dat ze het tegen mij had. Zo zachtjes praatte ze, ik dacht dat ze aan het bidden was, en iemand in de ogen kijken deed ze ook niet als ze met iemand praatte.

Behalve bij haar kleinkinderen. Voor hen was ze een liefdevolle oma. Ik denk dat ze het enige waren waar ze enige vreugde aan beleefde. Marianne en Josef.

Die heeft vast en zeker geen fijn leven bij haar man gehad, dat is een ding dat zeker is.

Ze was een paar jaar ouder dan hij en hij is vast alleen vanwege de boerderij met haar getrouwd. Die was namelijk van vrouw Danner, en Danner is ingetrouwd. Soms denk ik dat ze bang voor hem was, want je kunt toch niet je hele leven je mond dichthouden. Die moet bang zijn geweest voor haar man, hij was altijd zo'n chagrijn. Er waren dagen dat hij geen goed woord voor zijn vrouw overhad. Hij bekte haar af en zij hield altijd haar mond maar. Ze heeft niet één keer haar stem tegen hem verheven, niet één keer. Zelfs niet toen hij eens het eten op de grond gooide, alleen omdat dat 'eeuwige bidden' hem op de zenuwen werkte. Met zijn arm heeft hij de pan van tafel geveegd, het eten vloog alle kanten op. Ze is opgestaan, vrouw Danner, en heeft zonder een woord te zeggen alles opgeruimd. Ze stond er als een geslagen hond bij. Barbara keek alleen maar toe. Dat had ik niet over mijn kant laten gaan.

U wilt nu vast en zeker ook nog het verhaal over Hauer horen. Toch? Ik dacht al wel dat ik u goed had ingeschat.

Tja, Hauer, dat is de buurman die het dichtstbij woont. Je kunt zijn boerderij vanuit het zolderraam zien. Ja, daar kun je tot aan de hoeve van Hauer kijken. De boerderij ligt aan de andere kant van de weidegrond. Mooie hoeve.

Als je snel loopt, denk ik, tien minuten. Ik heb het niet opgenomen.

Zoals gezegd, je kunt het zien vanuit het zolderraam, maar alleen van daaruit, verder niet.

Hauer zat achter Barbara aan. Hij is haar werkelijk nagelopen. De kleine jongen schijnt van hem te zijn. In elk geval heeft hij officieel voor vader gespeeld. Nou ja, hij heeft zich in het geboorteregister bij de burgerlijke stand laten inschrijven als vader.

De man van vrouw Spangler is meteen na de bruiloft vertrokken. Toen was Marianne nog helemaal niet geboren. Dat heeft Hauer me verteld. Hij schijnt er stiekem tussenuit geknepen te zijn. Van de ene dag op de andere.

Dat heeft Hauer me tenminste verteld, op de boerderij sprak niemand erover.

Drie jaar geleden is de vrouw van Hauer gestorven. Ze is heel lang ziek geweest. Heeft hij me zelf verteld, en van de mensen in het dorp heb ik het ook gehoord.

Kanker schijnt het te zijn geweest, ze heeft lang moeten lijden.

Zijn vrouw was nog maar amper dood of Hauer is een relatie met vrouw Spangler begonnen. Eerst was ze helemaal verkikkerd op hem en ze schijnt zich vlak nadat zijn vrouw was gestorven gewoon aan hem te hebben opgedrongen.

Ik weet niet of dat zo is. Hauer maakt op mij niet de indruk dat hij een levensgenieter is.

Maar ik zeg alleen wat hij me zelf heeft verteld. Als hij een biertje te veel opheeft, wordt Hauer loslippig.

Barbara moet meteen zwanger zijn geraakt. Direct na de geboorte van de jongen, de kleine Josef, moest ze opeens niets meer van hem hebben. Hij had alleen even officieel vader moeten zijn, daarna heeft ze hem de bons gegeven, althans zo heeft hij het mij verteld. Hij wilde Barbara en haar vader aangeven, zodat hun verhouding aan het licht zou komen. Dat het een doodzonde was, tegen de natuur en al dat soort praat.

Maar toen hij zo ver met zijn verhaal was, had Hauer zich al een flink stuk in zijn kraag gezopen. Dat was met de kermis. Toen heeft hij me het hele zaakje uit de doeken gedaan.

Ik heb niet eens goed geluisterd naar zijn geklets, en het meeste heb ik trouwens niet begrepen, want hij was stomdronken.

Ik heb alleen met eigen ogen gezien dat de oude Danner ooit tegen Hauer loog over zijn dochter. Ze was niet thuis, zei hij. Maar ze zat in het opkamertje.

Als u meer wilt weten, moet u maar met Hauer zelf gaan praten. Ik vertel er niets meer over, want anders wordt het allemaal roddel en achterklap.

Zo, ik ga nu weer aan het werk, als u geen vragen meer hebt. Zoals ik al zei, je krijgt niet betaald als je luiwammest.

Het is avond geworden. Iedereen in huis ligt al in bed.

Hansl, zijn zoon, Anna, zijn schoonzus. Nu zes jaar geleden is zij, Anna, bij hem in huis komen wonen. In de tijd dat bij zijn vrouw de eerste tekenen van de ziekte zich openbaarden en zij niet meer in staat was zich te bekommeren om huishouden en boerderij. Langzaam, stap voor stap, nam zij de leiding van het huishouden over en zorgde voor Hansl alsof het haar eigen zoon was.

Ze verpleegde zijn vrouw toen die ernstig ziek boven in bed lag, op de slaapkamer. Tot aan haar dood heeft zijn schoonzus Anna zijn vrouw, haar zuster, onbaatzuchtig verpleegd. Heeft haar 's ochtends gewassen en te eten gegeven. Omringde haar de hele dag met zorgen. Stond haar bij. Toen het einde al in zicht was. Toen de aanblik van haar lijden voor hem al onverdraaglijk was geworden, nam zij zijn plaats in op de gemeenschappelijke slaapkamer. Om ook 's nachts bij haar te kunnen zijn, haar lijden te verlichten en haar te troosten.

In die tijd kon hij het niet meer opbrengen intiem te zijn met zijn vrouw. Haar ziekte schrikte hem af, hij kon haar niet helpen, kon haar niet bijstaan. Zoals zijn plicht had moeten zijn. 'In goede en in slechte tijden.'

Hij betrapte zich erop dat hij wenste dat haar lijden een einde zou nemen. Hij verlangde naar haar dood. Hij kon haar aanblik niet langer verdragen, haar marteling. Hij kon niet meer tegen de geur van haar ziekte en de dood, die haar wee omhulde als een jas. Kon haar gestalte, broodmager, uitgeteerd, niet meer aanzien.

Zo vaak hij kon ging hij het huis uit. Zelfs op de dag van haar dood is hij de hele tijd niet thuis geweest. Zwierf maar wat rond, ook als hij met zijn werk al klaar was. Dwaalde door het bos, zat een eeuwigheid ergens op een steen. Het kon hem allemaal niet schelen, als hij maar niet naar huis hoefde. Wilde de benauwenis niet voelen, de grenzen van het leven, wilde zijn eigen eindigheid niet zien.

Toen Anna hem het nieuws vertelde, was hij opgelucht. Hij voelde geen droefenis, hij was blij. De steen die op zijn borst had gelegen, was van hem afgenomen. Hij kon weer gaan leven. Hij voelde zich vrij. Vrij als een vogel.

Niemand zou dat hebben begrepen.

De eerste maand van de rouwtijd was nog niet voorbij toen zijn verhouding met Barbara begon, hij toonde geen schaamte of schuldgevoel. Hij was vrij. Voor de eerste en misschien de enige maal in zijn leven voelde hij zich vrij.

Hij was aanvankelijk verbaasd dat ze in hem geïnteresseerd was. Hij twijfelde aan de oprechtheid van haar gevoelens voor hem. Maar de bereidwilligheid waarmee ze zich aan hem gaf, maakte een eind aan de twijfel in zijn gemoed. Ja, maakte zijn verlangen naar haar des te groter, naar haar lichaam.

Een lichaam vrij van de adem des doods, van de ziekte. Een lichaam nog geheel gehuld in de geur van het leven, een lichaam vol begeerte naar leven. Tomeloos, wellustig gaf hij toe aan die drang, die hartstocht.

Het deed hem niets dat anderen zijn gedrag als aanstootgevend en immoreel beoordeelden. Hij had bij Barbara gevonden wat hem tot dusverre in zijn leven ontzegd was geweest. En dat gold niet alleen voor de laatste jaren van zijn huwelijk.

Dat huwelijk van hem was steeds meer een valse verbintenis tussen gelijkgezinden geweest. Een gearrangeerd huwelijk, zoals dat onder boeren gebruikelijk was. 'De liefde komt met de jaren, hoofdzaak is dat we bij elkaar blijven.'

Na een kort moment van angst voor de begeerte die hij voelde als Barbara bij hem was, leefde hij zijn wellust zonder enige consideratie uit.

Toen Barbara hem ten slotte bekende zwanger te zijn, was hij gelukkig. Pas langzaam kwam bij hem de twijfel op.

Haar gedrag tegenover hem werd anders. Ze weigerde steeds meer hem tot zich toe te laten. Haar hartstocht voor hem week voor een steeds zichtbaarder verachting. Als hij op haar boerderij kwam om het met haar uit te praten, gaf ze niet thuis.

Maar hij kon niet meer terug, hij was een ander geworden. Was in een nooit eerder gekende afhankelijkheid terechtgekomen, in een roes.

Hij kende het geklets in het dorp. Koppig had hij tegen iedereen gezegd, of die het wilde horen of niet, dat de jongen zijn jongen was. Zijn Josef. Had zich als vader laten inschrijven bij de burgerlijke stand. Hij was de vader van het kind, daar hield hij zich aan vast, als de drenkeling aan het touw dat hem is toegeworpen.

Josef was zijn jongen en zijn jongetje was dood. Doodgeslagen. Hij kon de aanblik van het kind niet vergeten. Hij zag het dode kind almaar voor zijn geestesoog, met gesloten en met open ogen. Het beeld week geen moment van zijn zijde, overdag noch 's nachts.

Anna Meier, kruidenierster, vijfenvijftig jaar

Die ellende daarginds is gewoon verschrikkelijk.

Bij ons hier in het dorp heerst er sindsdien alleen nog maar angst. Iedereen is bang. Wie doet nu zoiets?

Wie is er in staat zomaar even ergens naartoe te gaan om mensen in hun eigen huis dood te slaan? En het ergste: ook de kinderen. Wie zoiets doet, moet toch volledig de kluts kwijt zijn. Volkomen geschift. Een gezond mens doet zoiets toch niet. Nee, zoiets doet een gezond mens niet.

Bij de begrafenis was het hele kerkhof vol mensen. Ik heb nog nooit zoveel mensen op een begrafenis gezien. Ze kwamen overal vandaan. Ik kende veel gezichten niet, terwijl ik door mijn winkel hier iedereen in de omgeving ken. Ze halen hun boodschappen allemaal bij mij. Maar bij de begrafenis op het kerkhof waren mensen die ik mijn hele leven nog niet heb gezien.

Die kwamen hier niet uit de buurt, het leek even druk als op de jaarmarkt of bij het volksfeest. Ze hebben staan kijken en gapen. Want het had toch in de krant gestaan, dat van de 'moordhoeve'.

'Moordhoeve' stond er in de krant. De man van de krant is zelfs bij mij in de winkel geweest en wilde van alles en nog wat van me weten. Hij is het hele dorp af geweest. En toen heeft hij dat vreselijke artikel over de 'moordhoeve' geschreven. De mensen zijn zelfs vanuit de stad naar het kerkhof gekomen. Vreselijk. Gewoon vreselijk.

Wanneer ik vrouw Spangler, Barbara, voor het laatst heb gezien? Wacht, ik heb haar voor het laatst precies een week voor haar dood gezien. Op vrijdag. Ze was bij ons in de winkel en heeft wat gekocht. Ik heb haar toen nog gevraagd of ze al een nieuwe dienstmeid hadden, want ik had iemand voor haar die echt van aanpakken wist.

En Barbara zei toen nog: 'Die kan meteen op Sint-Jozef bij ons beginnen, vertel haar dat maar.'

Dat heb ik dan ook zo aan Traudl Krieger doorgegeven.

Ik kan mezelf natuurlijk van alles en nog wat verwijten, maar ik kon niet weten dat iedereen op de boerderij zou worden doodgeslagen.

Het valt vandaag de dag niet mee om een betrouwbare dienstmeid te vinden. Het is niet meer als voor de oorlog.

Jonge meisjes willen nu allemaal naar de stad, naar de fabriek. Die willen geen baan meer hier in het dorp bij een boer. In de fabriek verdienen ze ook veel meer dan op een boerderij. En ze worden er ook niet zo smerig. Het is niet meer als vroeger.

Barbara heeft wat ze nodig had gekocht en de winkel verlaten. Zoals altijd.

Inbraak op de boerderij? Nee, daar weet ik niets van. Ja, ooit eens in de herfst, toen heeft Barbara me verteld dat er iemand op de boerderij had willen inbreken. Maar dat is zo lang geleden. Ze zei me indertijd dat er niets gestolen was.

Maar het was wel de reden waarom Anna er is vertrokken. Anna was de dienstmeid die vroeger op die boerderij heeft gewerkt. Ze hebben zich die winter gered zonder dienstmeid. In de winter is het minder druk op een boerderij. Af en toe is iemand weleens bijgesprongen, vertelde Barbara.

Maar ik heb nooit gevraagd wie dat dan wel was. Bij hen waren er soms vreemden op de boerderij. Die zijn meestal na korte tijd weer weggegaan.

Die waren vast niet bij de politie aangemeld.

Ik mocht Barbara wel, en de verhalen die verteld worden, daar weet ik niets van. Die gaan me niets aan. Daar zou ik een dagtaak aan hebben, wat denkt u dat de mensen me de hele dag door vertellen?

Ik zou er boeken over kunnen schrijven, hele boeken. Maar het gaat me allemaal niets aan.

Die hele kwestie van Barbara en haar vader, daar wordt veel over gekletst, maar niemand weet er het fijne van.

Er is toch ook niemand bij geweest?

Hoe ze aan haar kleine jongen is gekomen. Wat denkt u dat er voor praatjes in het dorp zijn verkocht? Er was iets niet pluis.

Toen bekend werd dat Hauer de vader van de kleine jongen was, was het hek van de dam. Sloerie en hoer, dat was nog het vriendelijkste wat er over haar werd verteld.

Ik luister naar het geroddel en dan vergeet ik het weer. Het ene oor in en het andere uit.

Ik kan me Vinzenz, de man van Barbara, nog wel herinneren. Die deugde niet voor het boerenbedrijf. Hij niet. Die heeft het ook niet lang bij hen op de boerderij uitgehouden.

Als u het mij vraagt, die had twee linkerhanden voor dat werk, en dus zat hij op Tannöd precies op de verkeerde plaats.

Je kunt van alles en nog wat over Danner zeggen, maar hij wist wel van aanpakken. Het was een echte boer, hij had zijn zaakjes voor elkaar, hoe zonderling hij ook was.

Ik denk dat hij een beetje geholpen heeft om Vinzenz te lozen. Hij schijnt hem te hebben uitgekocht, maar dat zijn dan weer geruchten.

Feit is dat Vinzenz van het ene moment op het andere verdwenen was. Sommigen zeggen dat hij naar Amerika is geëmigreerd. Maar dat geloof ik niet. Hij is gewoon weer de grens overgegaan. Die was toch van ginds. Een vluchteling. Hij is hier in 1945 gekomen, direct na de oorlog. Ze hebben hem bij Danner op de boerderij ingekwartierd.

Maar hij is nauwelijks een jaar gebleven. Dat was geen boer, echt niet.

Dat alles zo heeft moeten eindigen, is afschuwelijk. Afschuwelijk. Ik kan de hele dag aan niets anders denken. Het wil maar niet uit mijn kop, hoe kan iemand zoiets doen, vraag ik u. Wat is dat voor mens? Nou ja, mens, een beest is het.

SLACHTOFFERS VAN DE MOORDBOERDERIJ IN TANNÖD BIJGEZET

NOG STEEDS GEEN AANWIJZINGEN VOOR DADERS EN MOTIEF

Einhausen/Opf. – Onder grote belangstelling van de bevolking zijn maandag de in de eenzame streek Tannöd, gemeente Einhausen, vermoord aangetroffen leden van de familie Danner begraven.

De daad heeft pijnlijke vragen opgeworpen, zei pastoor Hans-Georg Meißner bij de rouwplechtigheid, waarbij meer dan vierhonderd mensen aanwezig waren.

'We blijven achter met pijn en verdriet. We staan hier aan het open graf, sprakeloos over die gewetenloze daad.'

Zoals eerder bericht, werden vorige week dinsdag de lijken aangetroffen van boer Hermann Danner en zijn vrouw Theresia, zijn dochter Barbara Spangler, haar kinderen Marianne en Josef en de als dienstmeid op de boerderij werkzame Maria Meiler.

Volgens het officiële sectierapport zijn alle personen gestorven aan het meedogenloze geweld dat is uitgeoefend op het hoofd, vermoedelijk heeft de dader of hebben de daders als wapen een ter plekke gevonden pikhouweel gebruikt.

De aard van de verwondingen doet dat vermoeden, aldus de met het onderzoek belaste politieafdeling. De rechercheurs bleken op de plaats van het misdrijf geschokt door de gewelddadigheid waarmee de slagen waren toegediend.

De lijken van het echtpaar Danner en die van hun dochter Barbara en hun kleindochter Marianne werden door buren in de schuur van de hoeve onder een laag stro ontdekt.

De lijken van de overige vermoorde personen werden in het woonhuis aangetroffen.

De familie leidde een teruggetrokken leven op de hoeve. Maria Meiler was er pas kortgeleden aangetreden als dienstmeid.

Volgens inlichtingen van de met het onderzoek belaste politieafdeling werden bovengenoemde personen vermoedelijk in de nacht van 19 op 20 maart vermoord. Dat vermoeden wordt bevestigd in het officiële sectierapport.

Bij de vermoorde Barbara Spangler werden bovendien sporen van wurging aan de hals aangetroffen.

Het is niet uit te sluiten dat het bij de daad handelt om roofmoord.

Volgens informatie van de buren was de teruggetrokken levende familie niet onbemiddeld.

Waarschijnlijk zijn er aanzienlijke geldbedragen, sieraden en waardepapieren in het huis aanwezig geweest.

De kasten in de slaapkamer van het huis zijn naar het schijnt doorzocht.

Van de daders ontbreekt echter elk spoor.

Maria Lichtl, huishoudster van de pastoor, drieënzestig jaar

Als je het mij vraagt, is het de duivel geweest. Ja, de duvel, die heeft de hele familie gehaald.

Meneer pastoor wil daar niet aan. Die vindt dat ik niet zulke goddeloze dingen moet zeggen. Maar het is wel zo, het is de waarheid en die mag je uitspreken.

Ik ben hier al dertig jaar pastoorsmeid. Dertig jaar lang al doe ik het huishouden voor de weleerwaarde heer. Ik kookte zelfs al voor onze vroegere pastoor, pastoor Rauch, ik was zijn huishoudster. Ze zijn altijd tevreden met mij geweest, de weleerwaarde heren.

Ik heb hier al heel wat meegemaakt, dat kunt u rustig van me aannemen. En daarom zeg ik: die familie ginds is door Lucifer zelf gehaald. Ook al hoort de weleerwaarde heer dat niet graag.

Ik heb hem zelfs gezien, de grote verderver, de hellevorst.

Toen ik van mijn zuster naar huis terugkeerde. Die woont in Schamau, daar is de afslag naar Tannöd.

Daar heb ik hem gezien, precies op die plek. Hij stond aan de bosrand en keek in de richting van de afgelegen boerderij van Danner. Hij was helemaal in het zwart gekleed, met hoed en veer op. Zo ziet er maar één uit, hij was het, de duivel. Zo ziet alleen hij eruit, zeg ik u, en toen ik me nog eens omdraaide, was hij verdwenen. Van de aardbodem verdwenen. Daar hoef je je niet over te verbazen, met dat zondige gedoe daarginds.

Hou toch op, als de vader het met de dochter doet en alles één grote bende is.

En het tuig dat hij altijd op zijn boerderij had. Dan moet je niet raar opkijken als hij komt, Beëlzebub, en iedereen meeneemt.

Landlopers en misdadigers, hij heeft op zijn boerderij altijd gespuis gehad. Schorriemorrie allemaal, dat het daglicht niet kan verdragen.

Zijn 'mooie meneer schoonzoon' is ook verdwenen, van de ene dag op de andere.

De duivel zal hem wel als eerste hebben gehaald. Schijnt in Amerika te zitten, die 'mooie meneer'.

Laat me niet lachen! Die is vast naar het vreemdelingenlegioen. Daar gaan ze toch allemaal heen, al die schurken.

De oude heeft hem uitgekocht. Dat zegt hier iedereen in het dorp, en toen is hij naar Frankrijk gegaan.

Die is vast bij het legioen terechtgekomen, de schoft. Zoals alle schoften. Als de duivel hem al niet gehaald heeft, dan haalt de hellevorst hem binnenkort wel.

Met een brief is ze bij de pastoor geweest, Barbara.

Met een brief van de fransoos. Nee, ik heb hem niet gezien, die brief.

Maar ze wilde meneer pastoor spreken en toen heeft ze hem als dank nog wat geld geschonken voor de kerk.

Dat couvert heb ik zien liggen, ik heb het met eigen ogen zien liggen.

Ze heeft vast en zeker een aflaat van haar zonden willen kopen. Gekweld door haar slechte geweten. Als door Trud werd ze erdoor gekweld. Maar het was al te laat, de eeuwige verderver heeft haar al gehaald.

Een 'heel trotse' is het altijd geweest, en haar vader ook.

Ze hebben nooit met iemand gepraat wiens neus hun niet meteen aanstond. Als ze 's zondags in de kerk zaten, heb ik me er weleens over verbaasd dat de heiligen zich niet van hen afwendden.

Die kleine jongen van haar, die was toch ook van haar vader. Dat weet hier iedereen in het dorp. Hauer, die sukkel, heeft zich ervoor laten betalen dat hij zich officieel als de vader voordeed. Maar zeggen, nee, zeggen mag je zoiets niet.

Meneer pastoor sluit voor dat soort zaken graag zijn oren en ogen.

Zo zijn ze nu eenmaal, de weleerwaarde heren, geloven altijd alleen in het goede in de mens. En dan overal hoererij om hen heen, erger kan het niet.

Die oude vent heeft alle doodzonden op zijn geweten, allemaal.

Meteen na de oorlog is hij gaan sjacheren, daarvoor trouwens ook al.

Eerst was hij voor honderd procent nazi en later stond hij plotseling aan de kant van de Amerikanen.

Die zorgde ervoor dat hij met iedereen kon opschieten van wie hij beter kon worden.

Ik wil niet weten wat hij allemaal op zijn kerfstok heeft. Als ik dat zou weten, zou ik nooit meer rustig kunnen slapen.

Zijn schoonzoon, daar zat de politie toch ook achteraan. Dreef een zwart handeltje en was toen plotseling foetsie. Anders had hij toch niet weg gehoeven, had hij 'm niet hoeven knijpen als een ouwe dief.

Ik zeg het nogmaals en ik zal het blijven zeggen, de duivel heeft die hele familie gehaald.

Het heeft toch ook geonweerd in die nacht van vrijdag op zaterdag.

De vrijdag is een goede dag voor de dood en voor Trud en voor het hele volk. Er zijn er veel op vrijdag verdwenen, en dan ook nog in zo'n huis waar zich ooit al eens iemand van kant heeft gemaakt.

Daar waren ze rond, de arme zielen, en ze halen hun recht. Dat soort verhalen vertelde mijn moeder altijd al, en die heeft het weer van haar moeder. Je moet goed naar de oudjes luisteren.

Bij de Heilige Maagd Maria, ik mag dood neervallen als het niet is zoals ik zeg.

De weleerwaarde heer pastoor Meißner, drieënzestig jaar

Sinds het einde van de oorlog ben ik hier in deze parochie als pastoor werkzaam. Ook alweer bijna tien jaar.

Maar zoiets, een moord, is bij mijn weten hier nog nooit voorgekomen.

Veel families in mijn parochie zijn diep geschokt en hun gevoel van veiligheid is aangetast. Er zijn er die hun huis niet meer verlaten zodra de avond gevallen is. Het parochieleven bestaat niet meer. Iedereen wantrouwt iedereen. Het is een grote tragedie.

Eenieder dacht toch dat de vreselijke jaren definitief achter de rug waren, het leven was langzaam weer op het goede spoor terechtgekomen. Bij ons in het dorp waren ze intussen allemaal weer uit den vreemde teruggekeerd. Het leven was weer normaal geworden, en dan nu deze moord. Plotseling waart de angst weer rond, alles staat op losse schroeven. We zien hoe bedrieglijk het leven van alledag kan zijn. Maar dit terzijde.

U wilt me vast vragen stellen over de familie Danner. De familie Danner. Hoe de Danners waren. Tja, ik geloof dat de oude vrouw Danner een goed christen was. Een eenvoudige vrouw, maar heel gelovig. Ze zocht vaak troost en vond die ook in haar gebeden. Ze was zeer gesloten en de laatste tijd werd dat nog erger. Ik geloof dat ze aan het eind van haar reis was en zich innerlijk al voorbereidde op een leven na de dood. Voor zover ik het kan beoordelen hield ze erg van haar kleinkinderen.

Haar man was een patriarch in de goede en de slechte betekenis. Zijn woord was binnen zijn gezin wet. Niemand kon tegen hem in verzet komen, niemand. Niemand kon tegen zijn wil op. Hij was ongetwijfeld een gelovige man, zij het op zijn manier. Hij was eerder, zou ik willen zeggen, een man van het Oude Testament. Hard voor zichzelf, hard voor de zijnen.

Zijn dochter, Barbara. Ik ben lang van mening geweest dat ze onder de heerschappij van haar vader leed. Maar daar ben ik niet meer zo zeker van. Barbara is zeer door haar vader gevormd. Ik denk dat ze in een haat-liefdeverhouding met elkaar verbonden waren.

Enerzijds bewonderde zij haar vader. Leek met haar barse manier van doen vaak ook heel erg op hem.

Anderzijds kan ik me niet aan de indruk onttrekken dat ze hem verafschuwde. Vanuit de grond van haar hart verafschuwde.

Tegenover mij heeft ze haar hart nooit geopend, hoewel ik haar daar meer dan eens toe heb proberen over te halen. Maar de manier waarop ze hem soms aankeek als ze zich alleen waande. Die manier was mij als man van God eigenlijk heel vreemd. In haar ogen stond haat. Geen liefde, nee, haat.

Als pastoor word je met alle aspecten van de menselijke samenleving geconfronteerd en u kunt van me aannemen dat ik veel heb meegemaakt en gezien, maar juist de laatste tijd zag ik in haar ogen steeds vaker weerzin, zelfs haat.

De kleine Marianne was een dromer, een kleine dromer. Ik heb haar op school godsdienstles gegeven. Het was een stil en dromerig meisje. Een mooi meisje met blonde vlechten. Ik vind het haast onverdraaglijk dat ook zij onder de hand van de moordenaar gevallen is. Zij en de kleine Josef. Waarom, vraag ik me af, waarom mag zoiets gebeuren en worden twee onschuldige kinderen het slachtoffer van zo'n schandelijke daad?

Gods molens malen langzaam, maar ik ben er heilig van overtuigd dat deze daad niet ongewroken zal blijven. Als niet hier en nu een vonnis over de dader of daders wordt geveld, zal hij of zullen zij hun gerechte straf toch niet ontlopen.

Ik ben er vast van overtuigd dat niemand uit ons midden de dader kan zijn. Geen van mijn parochianen acht ik tot zo'n daad in staat. Geen enkele rechtschapen christen kan zo'n duivelse daad hebben gepleegd.

Wat er van de man van Barbara geworden is? U bedoelt Vinzenz?

Het gerucht gaat dat hij naar Amerika is geëmigreerd. Feit is dat hij hier niet meer is. Van de ene op de andere dag verdwenen. Vinzenz was een van die ontwortelde mensen die in de weken en maanden na het eind van de oorlog, op zoek naar een nieuwe warme plek, naar een plek om te leven en te overleven, bij ons kwamen.

Hij vond werk op de boerderij van de familie Danner. Pas toen Barbara al zwanger was, is ze met Vinzenz getrouwd.

Ik kan het niet billijken, maar meteen na de ineenstorting zijn de begrippen moraal en orde enigszins in het ongerede geraakt. Na dat ongehoorde inferno hadden de mensen niet alleen een sterke behoefte aan voedsel, nee, ook aan lichamelijke intimiteit.

Het was een van de eerste huwelijken die ik in mijn nieuwe parochie mocht sluiten. Waarom die verbintenis niet van lange duur is geweest? Soms, in stormachtige tijden, ontmoeten mensen elkaar die onder andere omstandigheden nooit tot elkaar gekomen zouden zijn. Veel van die verbintenissen blijven bestaan, ondanks de onaangename dingen elke dag weer, andere gaan daaraan juist kapot.

Vinzenz Spangler was geen boer en kon niet wennen aan de omstandigheden op de boerderij. Vooral de verhouding met zijn schoonvader was uiterst moeizaam, en dus vertrok hij.

Twee jaar geleden werd Barbara opnieuw zwanger. Als vader van de kleine Josef werd Georg Hauer in het doopregister ingeschreven. Ik wil daar de staf niet over breken.

In de week voor haar verschrikkelijke dood is Barbara bij mij op de pastorie geweest. Ze wilde biechten, zei ze. Maar ze kwam op hetzelfde ogenblik nog op andere gedachten. Ze leek afwezig en nerveus. Er drukte iets op haar geweten. Ik heb haar aangeraden haar geweten te ontlasten.

Daarna veranderde haar stemming, ze werd koppig, bijna recalcitrant. Er viel niets te biechten, zei ze. Ze hoefde nergens vergiffenis voor te vragen, ze had niets verkeerds gedaan. Ze keerde zich om, ze wilde weggaan. Ik hield haar tegen, omdat ze een envelop had laten liggen. Die kon ik houden, voor de kerk, of voor behoeftige zielen.

'Doet u er maar mee wat u wilt. Het is mij om het even.'

Daarop verliet ze gehaast de pastorie, zonder nog een woord te zeggen. In de envelop zat vijfhonderd mark. Hij ligt nog steeds bij mij in mijn bureaula.

Het zweet staat Barbara op het voorhoofd. Ondanks de kou, ondanks de koude wind die haar tegemoet waait, zweet ze. Met gezwinde pas haast ze zich over de weg omhoog naar haar hoeve. Haar hoeve. Vader heeft de boerderij op haar naam gezet. Ze is eigen baas, eigen baas.

Ze is bij de pastoor geweest. Was aarzelend zijn kamer binnen gegaan. Ze zocht een voorwendsel. Wilde met hem praten, zichzelf en haar geweten verlichting verschaffen.

Toen ze voor de priester stond, als een schoolmeisje stond ze erbij, wilden de woorden die ze van tevoren had bedacht niet over haar lippen komen. Hij zat achter zijn bureau.

Wat haar tot hem voert? Of haar ziel wordt bezwaard?

Onderwijl is er dat lachje om zijn mond. Dat alwetende, zelfingenomen lachje.

Zijn verzoek haar geweten te ontlasten en dan dat lachje, die blik, het is genoeg om haar geheel te laten verstommen.

Waarom zou ze dit doen?

Wilde die man haar rechter zijn? Rechtspreken over haar daden, over haar leven? Nee, ze wilde er niet met hem over spreken. Wilde niet van een man de absolutie krijgen. Ongeacht welke absolutie, en waarom.

Ze had niets verkeerds gedaan. Haar was onrecht aangedaan. Sinds haar twaalfde jaar was haar onrecht aangedaan.

Jarenlang had ze tegen haar schuldgevoel gevochten, had altijd gedaan wat er van haar werd verlangd.

Op school werd geleerd dat Eva Adam de appel gaf en beiden daarom de erfzonde aankleefden en ze uit het paradijs werden verdreven.

Ze had niemand uit het paradijs verdreven. Nee, zij was er zelf uit verdreven.

Nu nog ziet ze haar vader voor zich. Haar vader, van wie ze zo gehouden had. Voelde zijn handen op haar lichaam, die tastende handen.

Geheel verstijfd had ze erbij gelegen. Niet in staat zich te bewegen. Verstard. Had niet durven ademen.

Met stevig gesloten ogen had ze in haar bed gelegen. Wilde niet geloven wat er met haar gebeurde. De adem van haar vader op haar gezicht. Zijn kreunen in haar oor. De geur van zijn zweet.

De pijn in haar hele lichaam. Ze hield haar ogen gesloten, stevig gesloten. Zolang ze niets zag, kon er niets gebeuren.

Er kan alleen gebeuren wat ik ook zíé, had ze gedacht.

De volgende ochtend was haar vader zoals altijd. Wekenlang gebeurde er niets. Ze was het voorval al bijna weer vergeten. Was de geur van haar vader vergeten, had de geur van zijn zweet, zijn gekreun, zijn begeerte verdrongen. Alles lag achter een dichte mist.

Ze had altijd een 'goede dochter' willen zijn. Ze wilde alleen maar een 'goede dochter' zijn en haar vader en moeder eren. Zoals de pastoor het tijdens de godsdienstles van hen verlangde. Alles wat vader deed, was goed. Hij was het middelpunt van haar leven, de Here God van de boerderij.

Nooit had ze gezien dat iemand hem tegensprak, zich tegen hem verzette. Haar moeder deed het niet. Zij kon het ook niet. Met de tijd werden de tussenpozen korter. Steeds vaker kwam hij 's nachts bij haar in bed.

Haar moeder leek niets te merken. Daarom bleef ze zwijgen. Zwijgen zoals ze altijd had gedaan, zolang Barbara zich kon herinneren. Niemand merkte iets.

En langzamerhand kreeg Barbara de indruk dat het handelen van haar vader juist was en haar afkeer van hem verkeerd. Haar vader hield immers van haar, alleen van haar.

Ze wilde er dankbaar voor zijn dat ze een 'goede dochter' was.

Net als in de verhalen van Lot en zijn dochters. Lot, die gevlucht was uit de stad Babel en met zijn dochters de wildernis in getrokken was. Daar legde Lot zich bij zijn dochters, en beide dochters baarden kinderen.

Zo stond het in de Bijbel. Waarom, vroeg Barbara zich af, zou bij haar verkeerd zijn wat bij Lot Gode welgevallig was. Ze was een goede dochter.

Tweemaal baarde zij een kind van haar vader. Tweemaal liet ze zich ompraten een andere man als vader van het kind te laten registreren. De eerste, Vinzenz, kwam direct na de oorlog op haar boerderij. Hij kwam als vluchteling uit het oosten en was blij met het werk op de boerderij en het dak boven zijn hoofd.

Het viel haar licht met hem te flirten, en toen ze hem van haar zwangerschap vertelde was hij meteen bereid met haar te trouwen. Hij zag de boerderij en het geld.

Toen haar man kort na hun huwelijk, nog voor Marianne geboren was, erachter kwam wie de echte vader was, dreigde hij hen allemaal achter de tralies te brengen. Haar vader gaf hem een grote som geld, en met dat geld kon Vinzenz naar de stad verhuizen of zelfs emigreren, zei hij tegen hem.

Vinzenz stemde ermee in, liet zich uitkopen en verliet de boerderij bij de eerste de beste gelegenheid.

Waar hij naartoe gegaan is? Ze weet het niet en het interesseerde haar ook niet. Ze had door die transactie een vader voor haar kind.

Het leven op de boerderij ging door.

Toen ze opnieuw zwanger werd en er geen man ter plekke was die in de ogen van de gemeenschap het vaderschap op zich kon nemen, kwam haar vader op het idee om het kind Hauer aan te smeren.

Hauer was in die tijd net weduwnaar geworden. Voor

Barbara was het een peulenschil die man te verleiden. De oude sukkel geloofde meteen haar verhaal over de hartstocht. Barbara had er hard om moeten lachen. Mannen waren gemakkelijk met een natte vinger te lijmen.

Moeilijk werd het pas toen Hauer op een huwelijk aandrong. Ze moest Vinzenz opsporen en een scheiding aanvragen. Of beter nog, hem meteen dood laten verklaren. Dat kon geregeld worden, hij kende 'de juiste mensen' daarvoor, met wat handgeld was het zo gepiept.

Haar uitvluchten werden steeds fantastischer, totdat het ten slotte tot een breuk kwam.

De vent liet haar niet met rust. Nachtenlang stond hij voor het raam van haar kamer. Klopte en bedelde om binnengelaten te worden.

Hij wachtte Barbara zelfs op en drong erop aan zich opnieuw met hem in te laten.

Barbara had een afkeer van die man. Net zoals ze altijd een afkeer van haar vader had gehad. Hoe ouder ze werd, hoe minder ze een goede dochter wilde zijn. Haar afschuw van haar vader en van mannen in het algemeen nam steeds meer toe.

Ze waren allemaal hetzelfde in hun begeerte, in hun walgelijke wellust.

Met de jaren had ze echter geleerd om haar vader afhankelijk te maken van haar. Ze geniet ervan als hij bedelt om een nacht met haar, als hij zelfs voor haar op zijn knieën gaat. Zij heeft hem in de hand. De verhouding is veranderd. Zij had nu de touwtjes in handen.

Voor zijn verboden hartstocht moet hij betalen. Met de boerderij, hij heeft de boerderij onder haar voorwaarden op haar naam laten zetten. Zij heeft de overschrijving gedicteerd. Hij is nu afhankelijk van haar en van haar gunsten.

Natuurlijk wilde ze met haar gift aan de kerk een aflaat kopen. Ze wilde vrij zijn, ook vrij van een zonde die ze nooit vrijwillig had gedaan.

De tijd verstrijkt slechts langzaam. In een slakkengangetje gaan de minuten en de uren voorbij.

Mich ligt nog steeds op de loer. In het huis is de rust nog steeds niet ingetreden.

Hij wacht op het moment dat hij kan toeslaan. In gedachten loopt Mich nog even zijn hele plan door. Hij wilde afwachten tot het huis rustig was, naar beneden sluipen, de schuur in.

De truc met de rode haan. Hij heeft het al vaker ergens laten branden. Dat was simpel.

De bewoners van het huis liggen in hun bed. In de schuur steekt hij iets in de fik.

De kreet 'Brand, brand!' zal voldoende zijn om Danner en zijn familie op te laten schrikken. Slaapdronken zullen ze het huis uit rennen, de schuur in en redden wat er nog te redden valt.

In de paniek die nu uitbreekt heeft hij alle tijd om het huis binnen te dringen. De bewoners zijn druk bezig de beesten uit de stal te halen. In de ontstane chaos zal hij al het contante geld meenemen dat in het huis verborgen ligt. De bewoners van het huis hebben het veel te druk met het onder controle krijgen van het vuur en het alarmeren van de buren.

Niemand zou achteraf meer kunnen zeggen wie de brand als eerste heeft opgemerkt. Zelfs zijn sporen zouden met de schuur in vlammen opgaan, en nog voordat de brand is geblust, is hij al in het bos verdwenen.

Mich verlaat zijn schuilplaats op zolder. Het tijdstip lijkt aangebroken. In huis is het al geruime tijd stil. Voorzichtig sluipt hij naar de tussenzolder van de schuur. Naar de deel. Hij staat stil. Hoort zijn hart bonzen, hoort zichzelf ademhalen.

Onder hem geritsel. Als een bliksem schiet het door hem heen: onder hem in de schuur is iemand. Waarom heeft hij hem niet zien komen? Hoe heeft hij die fout kunnen maken? Het heeft geen zin er nu over na te denken. De persoon daarbeneden moet het huis verlaten hebben voordat Mich kan toeslaan.

Er komt een tweede persoon de schuur in. Mich hoort de stem van een vrouw, hij kent die stem. Het is Barbara.

De stem van de man kent hij niet. Danner is het in elk geval niet, dat weet Mich zeker. Wat er besproken wordt? Mich kan de stemmen wel horen, maar niet wat er gezegd wordt.

Hij gaat plat op de vloer liggen. Hij kan tussen de planken door naar beneden kijken.

De woordenwisseling wordt een echte ruzie. De stemmen klinken luider, de vrouwenstem hysterisch, schril. De man pakt Barbara bij de keel, wurgt haar. Alles gaat bliksemsnel.

Mich draait even zijn hoofd weg. Probeert vanuit een andere positie beter te kunnen zien.

Als hij hen beiden eindelijk weer in zijn blikveld heeft, heeft de man een pikhouweel boven zijn hoofd geheven. Slaat ermee op Barbara in, die geluidloos in elkaar zakt. Ze ligt op de grond. Buiten zichzelf blijft de aanvaller op de weerloos liggende vrouw inhakken. Steeds weer haalt hij uit. Houdt pas na een hele poos op.

Mich ligt op de vloer van de tussenzolder en durft niet te ademen of zich te bewegen.

Die vent heeft die vrouw doodgeslagen! gaat het door zijn hoofd. Hij heeft haar doodgeslagen als een schurftige kat!

De onbekende man buigt zich over het geschonden lichaam en tilt het op. Probeert het levenloze lichaam bij de deur weg te slepen, verder de schuur in. Weg van het licht, de duisternis in.

Plotseling voetstappen, een stem. De oude vrouw Danner staat in de deur. Mich houdt zijn adem in.

'Barbara, waar zit je? Ben je in de schuur?'

Nog voordat de oude vrouw goed en wel in de schuur is, wordt ze door een klap geveld.

Mich draait zich op zijn rug en gruwt, hij kan het niet bevatten.

Die maakt me van kant als hij me te pakken krijgt, die maakt ook mij van kant! Tranen lopen over zijn wangen, hij is doodsbang. Hij houdt beide handen voor zijn ogen. Perst ze tegen zijn gezicht aan. Probeert zijn adem, die schoksgewijs uit hem slaat, onder controle te houden, te stoppen. Met gesloten ogen ligt hij op de vloer. Maar de razende man beneden hoort hem niet. Verblind door zijn roes slaat hij toe, telkens en telkens weer.

Hoe lang hij daar ligt, weet Mich niet. Intussen valt beneden de een na de ander in handen van de slachter. Eerst Danner, daarna nog zijn kleindochter. Ze komen allemaal van het licht in de duisternis, en nog voordat ze het gevaar zien of zelfs maar vermoeden, worden ze tegen de grond geslagen.

Terwijl de slachtoffers al op de grond liggen, houdt de moordenaar niet op, hij gaat woest tekeer, razend.

Op zijn rug liggend hoeft Mich de daad niet met eigen ogen te zien. Hij hoort alleen maar, hoort de voetstappen van de slachtoffers, hun stem die om de familieleden roept, om moeder. Hoort de slagen met de houweel, telkens weer die slagen.

Na een eeuwigheid wordt het stil. Doodstil.

Pas na nog een eeuwigheid merkt Mich dat het stil is. Hij schuift langzaam op zijn buik, bijna geluidloos, in de richting van de trapladder.

Onder hem niemand in de schuur. De dader moet via de stal verder het woonhuis binnengedrongen zijn.

Mich heeft alleen deze ene mogelijkheid om ongezien en levend weg te komen. Hij haalt diep adem en gaat de trapladder af. De trapladder, naar buiten.

Hij zet het op een lopen, ademloos, rent steeds verder weg. Zijn benen kunnen hem al bijna niet meer dragen. De koude nachtlucht brandt in zijn longen. Brandt bij elke ademhaling. Hij rent totdat hij valt en op de naakte bodem blijft liggen. Hijgend. Hij is omgeven door duisternis. Hij weet niet waar hij is. Hij is zijn gevoel voor oriëntatie totaal kwijt. In wilde paniek is hij het huis uit gerend. Steeds verder weg van het huis, de hoeve, de gruwel.

Hij zit met zijn gezicht naar het raam. Zijn blik leeg op de verte gericht. Zo zit hij op zijn bed in zijn slaapkamer, ziet zonder iets waar te nemen, zijn blik naar binnen gericht, niet naar buiten.

In zijn rug het bed van zijn vrouw. Sinds haar dood, drie jaar geleden, ligt er een laken overheen. Hij hoeft het niet te zien, maar ziet het voortdurend. Het staat als een lijkbaar in het vertrek. Manend. Dag in dag uit. Hij kan zelfs de geur van de dood nog waarnemen. Weeïg beschrijft die zijn baan, glijdt in ragfijne zwaden door de kamer. In dit vertrek is zijn vrouw alomtegenwoordig. Oppermachtig, net als haar ziekte, waaraan geen einde wilde komen.

Hij ziet de beelden van de middag voor zijn geestesoog, zijn gesprek met Anna, zijn schoonzus. Ze staat even helder en duidelijk voor hem als twee uur geleden. Ze was de stal in gekomen om hem te zoeken. Ze wilde met hem praten, moest met hem praten.

Op haar gezicht ongeloof en treurnis.

Samen zijn ze naar de bank achter het huis gelopen. Van daaruit kun je in de lente de hele boomgaard overzien. Hij ziet de bomen in volle bloei staan. Ziet het land zichzelf weer baren. Hij houdt van die aanblik, verheugt er zich elk jaar weer op.

Maar vandaag waren de takken van de bomen nog kaal en doods van de voorbije winter. Ze is naast hem komen zitten. Ze zaten te zwijgen. Ze had een stuk stof in haar handen. Pas nu zag hij het, herkende het. Een zakdoek, rood van het bloed. Zijn zakdoek.

De zakdoek waarmee hij zijn handen had afgeveegd. De schuld die hij op zich had geladen, had hij met zijn zakdoek van zijn handen willen vegen, maar het kleefde nog steeds aan hem. Hij had de zakdoek willen weggooien, maar waar had hij hem moeten deponeren? Tegen beter weten in, tegen alle rationaliteit in, heeft hij hem gehouden. Misschien, gaat het door hem heen, heeft hij hem niet weggegooid zodat zij hem zou vinden, zodat hij iemand zijn schuld kon opbiechten. Hij wilde niet alleen zijn, niet alleen met zijn daad.

Anna heeft haar arm om hem heen gelegd en enkel gevraagd: 'Waarom? Waarom?'

Waarom is hij die nacht naar de boerderij gegaan?

Hij zou het haar niet kunnen zeggen. Hij weet het zelf niet.

Hij wilde met Barbara praten. Alleen praten. Hij had niet op haar raam durven kloppen. Dat had hij al te vaak gedaan, en zij had de deur niet voor hem geopend en niet met hem gepraat. Terwijl hij afhankelijk was van elk woord, elk gebaar van haar.

Ja, hij was afhankelijk van haar, horig. Talloze malen is hij dag en nacht om het huis geslopen, hij wilde haar alleen maar zien. Hij heeft voor haar raam gestaan. Hij heeft toegekeken hoe zij zich uitkleedde. Zo nabij en toch onbereikbaar.

De gordijnen niet gesloten, ze stond in de verlichte kamer. Hij moest haar zien en toch wist hij dat ze hem nooit zou toebehoren.

Die avond had hij zich moed ingedronken. Hij wilde niet nogmaals afgewezen worden. Daarom was hij de schuur binnen gedrongen. Vanuit de schuur kon je gemakkelijk het huis binnen komen. Dat wist hij, van de schuur via de voedergang in de stal het huis in.

Ze moest hem niet langer kunnen afwijzen. Afwijzen als een straathond. Terwijl de oude Danner de hond was, het beest, niet hij.

Hij wilde met Barbara praten, haar overreden bij hem terug te komen. Meer wilde hij niet. Alleen praten.

Hoe Barbara voor hem had gestaan. Hem had uitgelachen, bespot, hij moest eens naar zichzelf kijken, in de spiegel naar zichzelf kijken. Haar vader was haar duizendmaal liever dan hij, de naar alcohol stinkende slappeling. Uitgescholden had ze hem, vernederd. Toen hij probeerde haar tegen zich aan te trekken, maakte ze zelfs slaande bewegingen. Met beide handen had hij haar toen bij de keel gepakt. Hij had haar stevig bij de keel gegrepen en die dichtgedrukt. Met zijn handen had hij haar keel dichtgedrukt.

Die handen houdt hij nu voor zich uitgestrekt, hij kijkt ernaar, handen vol eeltplekken van het zware werk dat ze hun hele leven lang hebben verricht.

Hij vertelt verder, hij moet haar het hele verhaal vertellen. Niet alleen de nacht van de moord, nee, hij moet alles kwijt. Als een woeste rivier gutst het uit hem. De stroom sleurt hem met zich mee. Anna is de reddende tak, waaraan hij zich vastklampt. Zij moet hem redden van de watermassa, redden van de verdrinkingsdood. Hij wil zich bevrijden van die druk. Zich bevrijden van alles wat hem al jaren terneerdrukt. Ze moet hem absolutie geven.

'Barbara, dat was een sterke vrouw, ze verzette zich. Op de een of andere manier slaagde ze erin zich aan mijn greep te onttrekken.'

Waarom en waar hij plotseling die pikhouweel vandaan had, hij zou het niet kunnen zeggen, hij weet niet meer wanneer hij daarmee voor het eerst heeft toegeslagen.

Alles wat hij ziet is Barbara, die voor hem op de grond ligt. Bewogen had ze zich niet meer, ze had zich niet meer verroerd.

Hij wilde haar wegtrekken, uit het licht in de duisternis.

Op dat ogenblik staat de oude vrouw Danner in de deur. 'Ik wilde niet dat ze begon te schreeuwen.' Zonder erbij na te denken, zonder aarzeling sloeg hij ook haar dood.

Hij sloeg ze achter elkaar dood, de een na de ander.

Als in een roes. In een roes van bloed, zijn zinnen verdoofd, zichzelf niet langer meester. Nee, niet hij heeft ze doodgeslagen, hij niet. De 'wilde jacht', die van hem bezit genomen heeft. De demon, de verderver, hij heeft ze doodgeslagen, allemaal. Hij had naar zichzelf gekeken, hoe hij ze allemaal doodsloeg. Kon niet geloven dat hij daartoe in staat was, dat een mens daartoe in staat was.

Vanuit de schuur was hij het woonhuis binnen gegaan, niemand mocht het overleven. Niemand. Hij wilde ze allemaal vermoorden.

Het was als een dwang, een innerlijke stem waaraan hij gehoorzaamde. Horig was hij aan die stem, zoals hij aan Barbara horig was geweest. Even mateloos in zijn verlangen hen allemaal te vermoorden als hij eerder mateloos was geweest in zijn verlangen naar haar lichaam. Ja, hij had dezelfde begeerte gevoeld en dezelfde bevrediging gevonden.

Hij wilde niemand achterlaten, niemand.

De nieuwe dienstmeid in haar kamer, bijna had hij haar over het hoofd gezien. Dan zou hij haar het leven hebben geschonken, hij, de heer over leven en dood die hij die nacht was geweest.

Toen de storm voorbij was, vergrendelde hij schuur en huis.

Pas toen had hij de sleutel meegenomen. De sleutel waarmee de voordeur op slot was gedaan. Hij had hem nodig, als hij nog eens terug wilde komen om zijn sporen uit te wissen.

Zijn gedachten waren opeens glashelder geweest. Helder als al heel lang niet meer. Hij zag alles voor zich, wist plotseling wat hij moest doen.

Hij zou terugkomen, de beesten voeren en verzorgen. Zijn sporen uitwissen.

Hij had zich bevrijd van een demon, zijn demon.

Alles moest op een roofoverval wijzen. Hoe meer tijd er

verstreek, hoe beter het voor hem was. Hij zou niet worden verdacht. Hij had niets gedaan.

Alleen de kleine Josef, zoals die onder het bloed in bed had gelegen, kon hij maar niet uit zijn hoofd zetten. Dat beeld kon hij niet vergeten. Waarom had hij iedereen om het leven gebracht?

'Waarom brengt iemand iedereen om het leven? Waarom vermoordt hij wat hij liefheeft? Anna, alleen wat je liefhebt, kun je ook vermoorden.

Weet jij, Anna, wat er in de hoofden van de mensen omgaat? Weet jij het? Kun jij in hun hoofd kijken, in hun hersens? Ik ben mijn hele leven opgesloten geweest, opgesloten.

En opeens gaat er een nieuwe wereld voor me open, een nieuw leven. Weet je hoe dat is?

Ik zeg het je, iedereen is eenzaam, zijn hele leven lang. Alleen is de mens als hij ter wereld komt, en alleen sterft hij. En daartussenin zat ik in mijn eigen lichaam gevangen, gevangen in mijn verlangen.

Ik zeg het je, er bestaat geen God op deze wereld, er is alleen de hel. En hier op aarde zit de hel in onze hoofden, in onze harten.

De demon zit in ieder van ons, en ieder van ons kan zijn demon op elk moment vrij spel geven.'

Ze hebben daar zitten zwijgen.

Op zeker moment is hij opgestaan en naar zijn slaapkamer gegaan.

Hij heeft zijn oude pistool uit het nachtkastje gepakt. Koud en zwaar ligt het wapen nu in zijn hand.

Alles is van hem af gevallen. Hij zit alleen maar, zit er doodstil.

Christus, aanhoor ons,
Christus, verhoor ons!
Heer, ontferm U,
Christus, ontferm U!
Heer, ontferm U over ons,
Christus, ontferm U over ons!
Heer, verhoor mijn gebed
en laat mijn roepen tot u komen!
Amen!